DMU 0503154 01 5
WITHDRAWN
DE MONTFORT UNIVERSITY
LIBRARY

D1647530

sculpture
de Derain à Séchas

© Éditions du Centre Pompidou, Paris, 2003
et Carré d'Art-Musée d'art contemporain
de Nîmes

ISBN : 2-84426-199-X / Centre Pompidou
ISBN : 2-907650-30-0 / Carré d'Art
N° éditeur : 1211
Dépôt légal : Mai 2003

© Adagp, Paris 2003
Carl Andre, Jean Arp, Gilles Barbier,
Michel Blazy, Constantin Brancusi, Daniel Buren,
Alexander Calder, John Chamberlain, Joseph Csáky,
André Derain, Erik Dietman, Alberto Giacometti,
Julio González, Toni Grand, Donald Judd,
Henri Laurens, Bertrand Lavier, Sol LeWitt,
Robert Morris, Giuseppe Penone, Germaine Richier,
Thomas Schütte, Alain Séchas, Richard Serra,
Daniel Spoerri, Vladimir et Gueorgii A. Stenberg,
Takis, Vladimir Tatline, Jean Tinguely,
Didier Vermeiren, Andy Warhol.
© Succession Marcel Duchamp / Adagp, Paris 2003.
© 2003, Willem De Kooning Revocable Estate Trust /
Adagp, Paris 2003.

© Christo 1961, New York.
© Claes Oldenburg, New York, 2003.
© Fondazione Lucio Fontana, Milan 2003.
© Succession Picasso, Paris 2003.

Droits réservés pour
les autres artistes représentés

Centre
Pompidou

sculpture
de Derain à Séchas

**Collection
du Centre Pompidou,
Musée national d'art moderne**

Carré d'Art

Cet ouvrage a été publié
à l'occasion de l'exposition « Sculpture »,
du 6 mai au 31 août 2003, organisée
conjointement par le Centre Pompidou,
Musée national d'art moderne et
Carré d'Art-Musée d'art contemporain
de Nîmes.

La présentation de cette exposition
s'inscrit dans le cadre de la programmation
extérieure initiée par le Centre
Georges Pompidou avec les musées
en région et à l'étranger.

Cette manifestation a été réalisée
grâce à la Ville de Nîmes et avec le soutien
du Ministère de la culture et de la
communication, la Direction régionale
des affaires culturelles Languedoc-Roussillon,
la Région Languedoc-Roussillon.
Remerciements au Musée national Picasso à
Paris et au Musée des Abattoirs à Toulouse.

Le catalogue est coédité
par le Centre Georges Pompidou et
Carré d'Art-Musée d'art contemporain
de Nîmes.

Le Centre national d'art et de culture Georges
Pompidou est un établissement public national
placé sous la tutelle du ministère chargé de la culture
(loi n°75-1 du 3 janvier 1975).

**Centre national d'art et de culture
Georges Pompidou**

Bruno Racine
Président

Bruno Maquart
Directeur général

Alfred Pacquement
Directeur
du Musée national d'art moderne-
Centre de création industrielle

Commissariat de l'exposition

Françoise Cohen
Conservateur en chef à Carré d'Art-Musée d'art
contemporain de Nîmes

Marielle Tabart
Conservateur au Musée national
d'art moderne

**Carré d'Art-Musée
d'art contemporain**

Daniel J. Valade
Président

Françoise Cohen
Directrice

DE MONTFORT UNIVERSITY
LIBRARY:
....
B/code
....
Fund: α₄ Date: 23|10|03
....
Sequence:
....
Class: 730.944
....
Suffix: SCU

Exposition

Centre national d'art et de culture Georges Pompidou

Commissaire
Marielle Tabart
assistée de
Francine Stalport

Chargé de mission auprès du Président
pour les relations internationales et régionales
Joël Girard

Directeur de la production
François Belfort

Chef du service des manifestations
Martine Silie

Chef du service de la régie des œuvres
Annie Boucher

Régisseur des œuvres
Sophie Kimenau

Installation des œuvres
François Boisnard
Michel Boukreis
Jacky Le Théry
Pierre Paucton

Responsable du service des collections
Catherine Duruel

Responsable de la cellule des prêts et des dépôts
Nathalie Leleu

Chef de l'atelier de restauration
Jacques Hourrière

Restaurateur en chef
Chantal Quirot

Restaurateurs
Denis Chalard
Christine Devos
Astrid Lorenzen
Ghislaine Mary

Directeur de la communication
Jean-Pierre Biron

Attachée de presse
Anne-Marie Pereira

Carré d'Art-Musée d'art contemporain

Commissaire
Françoise Cohen
assistée de
Delphine Verrières

Administration
José Santana
Marie-Louise Serpin

Secrétariat
Carole Despieuch

Réalisation technique
Bernard Sauzet
Jean-Louis Veux

Service culturel
Sophie Gauthier

Catalogue

Direction
Françoise Cohen
Marielle Tabart

Chargée d'édition
Amarante Djuric

Conception graphique
de la collection "hors les murs"
Jean-Pierre Jauneau

Fabrication
Patrice Henry

Photographe
Adam Rzepka

Responsable
du laboratoire photographique
Guy Carrard

Direction des éditions

Directeur
Philippe Bidaine

Responsable du service éditorial
Françoise Marquet

Responsable commercial
et droits étrangers
Benoît Collier

Gestion des droits et contrats
Claudine Guillon
Matthias Battestini

Administration des éditions
Nicole Parmentier

Administration des ventes
Josiane Peperty

Sommaire

Avant-propos

À la suite des initiatives rendues possibles lors de sa fermeture pour travaux de 1997 à 1999, le Centre national d'art et de culture Georges Pompidou poursuit le programme de présentation de sa collection – l'une des premières au monde pour l'art moderne et contemporain – en partenariat avec les institutions culturelles en région et les collectivités qui en sont les tutelles. Il manifeste ainsi sa volonté de faire bénéficier le plus grand nombre de cette collection nationale.

L'exposition « Sculpture », organisée conjointement par le Centre Pompidou, Musée national d'art moderne et Carré d'Art-Musée d'art contemporain de Nîmes, fait suite à l'exposition « Au fil du trait » qui avait réuni en 1998 les équipes des deux institutions. Conçue et réalisée à l'occasion du 10e anniversaire de Carré d'Art, cette manifestation rassemble pour la première fois un ensemble « sculptural » au sens strict, issu des seules collections du Musée – à l'exception de cinq œuvres appartenant au Musée Picasso et à Carré d'Art. Elle rappelle l'importance des donations ou legs à l'origine du premier fonds du Musée national d'art moderne, pendant la première partie du xxe siècle; elle témoigne également de la diversité des acquisitions d'art contemporain, auxquelles le Centre Georges Pompidou a procédé de manière exhaustive depuis son ouverture en 1977.

Le choix effectué au sein de ce fonds par Françoise Cohen et Marielle Tabart permet ainsi d'offrir un parcours à travers la sculpture du xxe siècle qui met en valeur la qualité exceptionnelle d'ensembles historiques et reflète également une attention constante à l'égard de la création la plus contemporaine.

Que tous ceux qui ont contribué à proposer au public cette manifestation et son catalogue trouvent ici mes plus vifs remerciements.

Bruno Racine
Président du Centre Georges Pompidou

Avant-propos

Mai 2003.
Carré d'Art a dix ans.

Ce lieu de Culture est devenu
l'un des éléments essentiels de la création
contemporaine en Europe. Il est aussi le
nouveau forum de Nîmes et des Nîmois.

L'ampleur de la collection permanente du
Musée et des expositions qui y sont présentées
font que ce lieu est l'un des plus prestigieux
aux yeux des créateurs. Il leur apporte ce
sens de l'Histoire et ce dialogue avec le
passé – qui fut contemporain en son temps –
où les inspirations d'aujourd'hui puisent,
fût-ce inconsciemment, leurs racines.
Voir une exposition, puis, sur la terrasse de
Carré d'Art, au sortir de cette confrontation
avec les œuvres, être face à la Maison Carrée
constitue une expérience exceptionnelle ;
bien peu de lieux au monde le permettent.
Nîmes a ce privilège.

Norman Foster, dont les réalisations
parsèment la planète, a tout compris – parce
qu'il aime Nîmes – de la perception que les
Nîmois et leurs hôtes ont de l'espace
dans lequel s'est ancré Carré d'Art. Il a offert,
tant au Musée d'Art Contemporain qu'à la
Bibliothèque-Médiathèque, des espaces
parfaitement adaptés aux missions de
ces lieux, en ménageant par ailleurs un axe
naturel qui invite à découvrir et à traverser
ce qui, désormais, est devenu un nouveau
monument à Nîmes. Cette création architecturale – et tout particulièrement le Musée –
a bénéficié de la compétence d'entreprises
nîmoises et nationales dont il faut saluer
le savoir-faire.

Dix ans plus tard, en fraternité avec
le Centre Pompidou qui nous confie les
plus exceptionnelles sculptures, signaux de
créativité en notre temps, célébrons cet
anniversaire et dessinons l'avenir au cœur
de l'un des lieux fondamentaux de la
Culture.

Jean-Paul Fournier
Maire de Nîmes
Président de Nîmes-Métropole
Conseiller Général du Gard

Daniel J. Valade
Adjoint au Maire de Nîmes
délégué à la Culture
Président de Carré d'Art

Préface

Selon un parcours qui traverse le
XXe siècle, cette exposition propose, pour la
première fois dans le cadre des manifestations
« hors les murs », un ensemble représentatif
des diverses formes prises par la sculpture
au XXe siècle visant à présenter ses enjeux
essentiels comme ses aspects contradictoires.
Suivant une sélection thématique, elle est
issue principalement des collections du
Musée national d'art moderne, soit un choix
de 74 œuvres de 48 sculpteurs, dont deux
prêts consentis par le Musée Picasso et
trois acquisitions de Carré d'Art-Musée d'art
contemporain de Nîmes.

Les premières collections entrées au
Musée après sa création, au lendemain de la
Seconde Guerre mondiale, sont constituées
d'importants fonds de sculpteurs majeurs
du XXe siècle, dus tant à la générosité des
artistes ou de leur famille qu'à la clairvoyance
des conservateurs : le legs Brancusi en 1957,
les donations et legs González à partir de
1964, la donation Laurens en 1967.
Ces acquisitions, qui ne sont pas toujours
perceptibles dans leur ensemble pour le
public, furent suivies d'autres dons essentiels,
comme ceux de la Fondation Lipchitz en
1976, et d'achats réguliers de l'État, ceux
par exemple des sculptures de Jean Arp,
Alexandre Calder ou Germaine Richier.
À l'ouverture du Centre Georges Pompidou,
en 1977, une politique d'acquisition plus
concertée permit de compléter et d'enrichir
ces ensembles et de combler des lacunes.
Enfin, un engagement plus affirmé envers
la création a permis de faire entrer dans les
collections du Musée national d'art moderne
des œuvres plus résolument contemporaines,
allant de Daniel Buren à Fischli/Weiss,
Gabriel Orozco et Thomas Schütte,
parmi beaucoup d'autres.

Le choix opéré par Françoise Cohen et
Marielle Tabart s'articule autour de deux axes,
« Forme » et « Espace », qui caractérisent la
dialectique sculpturale au XXe siècle :
d'une part, l'évolution de la forme autour
du plein et du vide, du concept d'antiforme
et de la continuité de la figure, d'autre part,
le dialogue de la forme et d'un espace réel
ou figuré. Grâce à ce parcours thématique,
qui affirme jusqu'à aujourd'hui la perma-
nence d'une pratique – la sculpture – qu'on
aurait pu croire révolue, et grâce au principe
« hors les murs », qui permet de rassembler
pour un temps un ensemble cohérent et
privilégié, une réunion de sculpteurs majeurs,
modernes et contemporains, est ainsi offerte
au public.

Je tiens à saluer les équipes du Musée
autour de Marielle Tabart, ainsi que celles
de Carré d'Art autour de Françoise Cohen,
pour le travail éclairant qu'elles ont réalisé
et qui donne une vision particulière et
prestigieuse de nos collections. Enfin je tiens
à remercier la Ville de Nîmes d'avoir permis
la réalisation de cette manifestation au sein
de Carré d'Art-Musée d'art contemporain
de Nîmes, à l'occasion du 10e anniversaire
de sa création.

Alfred Pacquement
Directeur du Musée national d'art moderne-
Centre de création industrielle

Préface

À l'origine de ce projet commun, l'idée de refléter les temps forts de la collection du Musée national d'art moderne a été aussi importante que celle d'établir un choix d'œuvres qui, par leur cohérence, leurs liens tant historiques que plastiques, permettrait d'éclairer les données et les défis de la sculpture au XXe siècle. À une hasardeuse rétrospective, accablante dans son énumération et forcément lacunaire, nous avons préféré le déroulement de partis thématiques, selon le jeu de la forme et de l'espace : décliner les transformations du volume, la libération de la forme, la convocation de la figure, la construction et la traversée de l'espace jusqu'au lieu figuré de la mémoire et du quotidien décalé. Ainsi que l'on sait, les grands fonds du Musée sont constitués d'ensembles conséquents de sculptures acquises par legs, dons, donations, achats et dations. Le legs de l'Atelier Brancusi, consenti par le sculpteur roumain après sa mort en 1957, est ainsi venu enrichir considérablement les premières acquisitions réalisées par Jean Cassou, parallèlement à celles négociées avec d'autres figures majeures de l'art moderne. Le Baiser (1923-1925) comme Mlle Pogany III (1933) ont été retenus ici pour matérialiser une première affirmation du traitement volumétrique des formes, apparue au début du XXe siècle, sous l'impulsion de Matisse, Derain et Picasso. Henri Laurens est représenté de façon tout aussi exemplaire grâce à la donation en 1967 de son fils Claude Laurens, comportant plus de 150 pièces – dont la Construction cubiste de 1915 – et complétée par les dons de Daniel-Henry Kahnweiler (1967) et la donation Louise et Michel Leiris (1984). Faisant partie d'un ensemble significatif, constitué d'achats à Jacques Villon dès 1948 et de dons de plâtres par Mme Marcel Duchamp en 1977, le puissant bronze de Maggy (1912/1948) illustre ici l'œuvre de Raymond Duchamp-Villon. La production de Jacques Lipchitz, présente au Musée grâce au don essentiel de 21 plâtres par la Fondation Jacques et Yulla Lipchitz en 1976, est mise à l'honneur par le choix de deux plâtres proches de l'abstraction. Cette première section, dédiée à la dialectique du plein et du creux – où le Cube

(1933) de Alberto Giacometti ainsi que le Masque (1923) de Pevsner n'ont pu figurer en raison de leur fragilité –, s'ouvre avec le prestigieux Nu debout (1907) de André Derain, acquis en 1994 par dation, et s'achève avec la monumentale Ascension (1929/1969), l'unique sculpture de Otto Freundlich, présente dans les collections depuis 1982. Parmi les sculptures « antiforme » figure la pièce majeure de Jean Arp, Pépin géant (1937), attribuée au Musée en 1950, et à laquelle s'ajoutent, selon un développement démonstratif des transformations opérées par des générations de sculpteurs, les œuvres les plus significatives dont le Musée se porte acquéreur après son transfert au Centre Pompidou (Soft Version of Maquette for a Monument donated to Chicago by Pablo Picasso de Claes Oldenburg en 1979 ; Bois flotté et stratifié, polyester et graphite de Toni Grand en 1983 ; Slant Step Folded de Richard Serra en 1988 ; Breed de Richard Deacon et Le Béret de Rodin de Erik Dietman en 1989). L'œuvre de Giacometti est particulièrement bien représenté dans la section « Figure » – comme dans celles intitulées « Signe » et « Espace de projection » – grâce à une acquisition de premier plan (Femme debout II, 1959-1960, achetée par l'État en 1964), suivie de dations prestigieuses en 1982 (Figurine dans une boîte entre deux maisons, 1950) et en 1984 (Homme et femme, 1928-1929). La figure contemporaine s'affirme avec ampleur depuis Le Mannequin (1985) insolite de Alain Séchas (acquis dès 1985) jusqu'aux créations provocantes de Thomas Schütte et de Gilles Barbier (Sans titre, 1996, acquis en 1997, et Polyfocus, 1999, acquis en 2000). Un même affrontement moderne/contemporain désigne la progression logique qui, du constructivisme au minimalisme, déploie les reconstitutions historiques de Tatline, des frères Stenberg et de Malevitch – dont les Architectones, acquis grâce à un don anonyme de 1978, ont pu être restaurés –, suivies des œuvres architecturées, voire monumentales de Sol LeWitt, Carl Andre, Daniel Buren et Absalon, acquises entre 1976 et 1994. Grâce aux dons successifs de 1964, 1966 et 1968 et au legs de

1976, dus à la générosité de Roberta González, les fers découpés de Julio González, voisinant avec les Mobiles de Alexander Calder – acquis par dation en 1983 –, les tiges flexibles de Takis et les sculptures mécaniques de Jean Tinguely, viennent nourrir la section « Signe ». Enfin, la dernière partie, intitulée « Espace de projection », où la forme dialogue avec l'espace réel ou figuré et où l'on retrouve les sculptures de Arp, Calder et Giacometti, se termine avec des œuvres tout récemment acquises : les objets quotidiens moulés dans l'élastomère noir de Fischli/Weiss, auxquels répondent ceux de Gabriel Orozco, objets réels, modelés ou trouvés, traces fragiles du travail à l'atelier du sculpteur.

Marielle Tabart
Conservateur au Musée
national d'art moderne

Préface

Au début du xxᵉ siècle, la peinture est dominante et la sculpture est attachée à des personnalités singulières particulièrement fortes, tel Auguste Rodin. Il est possible, à travers des expositions comme celle organisée en 1889 par la galerie Georges Petit, d'établir un parallèle entre ces deux arts à la lumière des parcours contemporains de Monet et de Rodin. Mais avec le xxᵉ siècle – et le rôle qui lui est alors conféré dès les premières années ne sera plus remis en doute –, la sculpture est une sorte d'ouvroir de la pensée plastique contemporaine. Ainsi peut-on expliquer la fécondité et l'importance de la sculpture des peintres (Matisse, Picasso), soulignées par de nombreuses expositions.

Si le laps temporel est important – de 1907 à 2000, pour l'œuvre la plus récente –, il ne semblait pas satisfaisant de s'en remettre à la seule chronologie pour organiser notre regard sur ces fonds. Le parti choisi est de favoriser à travers deux grandes catégories, « Forme » et « Espace », six thématiques qui, chacune à leur tour, explorent un développement pertinent dans la continuité longue du siècle. L'exposition ne peut toutefois prétendre à l'exhaustivité et c'est parfois grâce à un rapprochement formel que se tisse une relation qui peut mettre en évidence de nouveaux pans, ouvrir les limites des mouvements reconnus. Du minuscule, tel que Giacometti l'a expérimenté, au monument où la dimension qui dépasse l'homme n'a toutefois pour but que de l'exalter, comme dans le *Monument à la IIIᵉ Internationale* de Tatline, cette exposition rend compte de la diversité du champ sculptural. Cette variété est bien sûr celle des matériaux, puisqu'une grande partie des recherches du xxᵉ siècle s'est identifiée à la recherche de nouveaux matériaux. De l'œuvre terminée à la présence de l'atelier, du symbolique et de l'intime à la reproduction à l'identique d'un fragment du réel, de la recherche la plus sophistiquée à l'exploitation d'une forme archétypique, la sculpture contemporaine apparaît comme ce condensateur d'énergie créative au sein d'un espace.

La sculpture est matière. Il semblait donc essentiel et évident d'ouvrir ce panorama de tout un siècle sur l'antinomie du « Plein/creux » et l'« Antiforme ». Ces deux thèmes illustrent bien que les artistes n'ont cessé de mener une réflexion sur les fondements mêmes de la sculpture, revenant toujours à la définition de la forme, du volume. Avant même de poser la question de la représentation, dans sa matérialité même, la sculpture, parce qu'elle a un poids, un aspect de surface auxquels peut se confronter très concrètement le spectateur, qu'elle partage avec lui les trois dimensions, entretient une relation particulière avec la figure humaine et peut, sous des espèces diverses selon les époques, dans une certaine mesure en apparaître comme le substitut. La sculpture établit un langage lisible dans l'espace. Construction ou signe, elle se situe au niveau du réel.

Françoise Cohen
Conservateur en chef
Directrice de Carré d'Art-Musée
d'art contemporain

Sylvie Coëllier

Sculpture, sculptures
La résistance
du corps et de la matière

Qu'en est-il, en ce début de XXIᵉ siècle, de la sculpture? Cet art a-t-il encore quelque pertinence au moment où les techniques de reproduction de l'image – photographie, vidéo, pratiques numériques – dominent les expositions? Que nous apprend une vision rétrospective de la sculpture moderne hors « installation », alors que cette dernière est devenue l'un des champs d'expérimentation privilégiés des artistes?

Longtemps les transformations de la sculpture ont moins affecté la critique et le public que celles de la peinture[1]. À partir de 1960 cependant, les ouvrages se sont succédé, témoignant qu'une sculpture « moderne », ses tendances, son « langage », ses chefs-d'œuvre existaient pleinement. « *What is modern sculpture?* » [Qu'est-ce que la sculpture moderne?] Cette question, dont Robert Goldwater fit le titre de la première grande exposition consacrée à cet art au Museum of Modern Art de New York en 1969, reprenait alors la rhétorique pédagogique que Alfred Barr avait engagée pour la peinture moderne[2]. Elle incarnait la demande d'un public avide d'un savoir neuf, à laquelle l'exposition devait répondre. Pourtant, à cette époque, les expérimentations les plus diverses se faisaient sous ce nom de sculpture, perturbant les définitions que le musée entérinait. Et lorsque Margit Rowell reprit, en 1986, ce même intitulé pour l'exposition du Centre Pompidou[3], la question « Qu'est-ce que la sculpture moderne? » avait revêtu une signification plus authentiquement interrogative. Dominique Bozo pouvait alors écrire : « La sculpture acquiert [...] une dimension spatio-temporelle globalisante, quasi "totalitaire", puisqu'elle cherche à intégrer tous les moyens d'expression, et de laquelle rien de l'action et de la pensée de l'artiste et même du spectateur ne serait exclu[4]. » Pour l'artiste conceptuel Lawrence Weiner, la sculpture devenait « tout objet susceptible d'être laissé juste au-dessus du sol ».

Posant une recherche des critères de la sculpture, Rosalind Krauss s'insurgeait en 1979 contre la « malléabilité infinie » de sa définition, soupçonnant, dans son emploi par la critique, un moyen d'assagir les propositions nouvelles en les ramenant au giron du connu à l'aide d'un étiquetage historiciste[5].

Nous proposerons ici une hypothèse sur cette question récurrente concernant la nature de la sculpture moderne, la recherche de ses limites et l'élasticité de ces dernières. Nous avancerons que, pendant une grande partie du XXᵉ siècle, la sculpture s'est engagée dans un processus de définition menant à cette « malléabilité infinie » qui a mis en jeu la propre définition de l'art. Ce processus se serait apaisé, non sans que l'approche de l'art en général et sa définition aient vécu une mutation. La sculpture serait en cela une articulation majeure des transformations artistiques du XXᵉ siècle : la regarder et la comprendre ouvrirait un accès à la compréhension actuelle de l'art.

Reprenons, avant de la tester aux œuvres, cette hypothèse. Chacun connaît bien, désormais, les assertions de Clement Greenberg concernant le modernisme. Ce dernier « l'assimile à l'intensification, presque à l'exacerbation, de la tendance à l'autocritique dont l'origine remonte à Kant[6] ». Se légitimant du philosophe des Lumières et du *Laocoon* (1766) de Lessing, avec sa recherche des critères objectifs de chaque catégorie artistique, Greenberg assigne à chacune des formes d'art « modernistes » la volonté « d'éliminer [...] tous les effets qui auraient pu être empruntés au médium d'un autre art »[7]. En ne gardant que ce qu'elle a « d'unique et d'irréductible[8] », chaque forme d'art s'auto-définirait. Or, si nous pouvons constater qu'il y a eu, en sculpture, interrogation sur les techniques,

la masse, le volume, la figure, l'espace, les structures et sur bien d'autres choses, la recherche de définition semble avoir davantage opéré par transgressions et comparaisons, par inversion – faire un creux pour démontrer la masse – plutôt que par réduction. Extensive, la transgression aurait pointé si loin les limites de la sculpture que la notion même de catégories en aurait été déstabilisée. C'est en rompant avec « la tyrannie imbécile des genres[9] » que Picasso a introduit l'espace et l'assemblage dans les œuvres d'art. C'est à la sculpture que fait référence le readymade de Marcel Duchamp qui a le plus questionné les valeurs d'exposition et la relation de l'œuvre au réel, *Fountain*[10] (1917, fig. 1). Dans les années 1960-1970, ce fut souvent par la sculpture – les *Brillo Boxes* (1964, fig. 2) plus que les *Marylin* – ou par le biais de sculpteurs – Smithson, Beuys – que l'art lui-même fut élargi. Et dès avant 1980, c'est à Bruce Nauman – personnalité que l'on peut, à bien des égards, qualifier de « sculpteur » – que l'on doit la reconnaissance d'une nouvelle attitude artistique. Celle-ci consiste non plus à revendiquer une compétence au moyen de laquelle *représenter* des thèmes, mais à convoquer une technique en fonction de son adéquation à répondre à une problématique: par exemple, le pouvoir de la télévision sera montré par des téléviseurs et non à travers la peinture. Actuellement, les artistes se déclarent rarement « sculpteurs », « peintres », ou encore « vidéastes »; ils préfèrent le terme générique d'« artiste » – même si leur préférence pour une technique est flagrante –, évitant ainsi de se renfermer dans un savoir-faire. En contrepartie, plus que jamais, l'artiste doit connaître la spécificité de chacun des moyens employés. Selon cette modification, la sculpture, au sens traditionnel du terme, s'est fortement effacée. En revanche, un grand nombre d'artistes continuent d'utiliser ce que nous appellerons ici des *données sculpturales*.

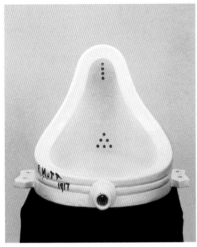

Fig. 1
Marcel Duchamp
Fountain, 1917
Readymade : faïence blanche
recouverte de glaçure céramique
et de peinture
63 x 48 x 35 cm
Centre Pompidou,
Musée national d'art moderne, Paris

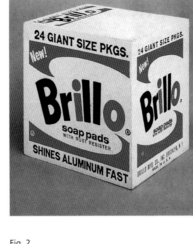

Fig. 2
Andy Warhol
Brillo Box, 1964
Sérigraphie sur bois
43,5 x 43,2 x 36,5 cm
The Museum of Modern Art,
New York

Comme le formule Rosalind Krauss,
« l'histoire de la sculpture moderne coïncide
avec le développement de deux corpus
théoriques : la phénoménologie et la linguis-
tique structurale[11]. » Parallèlement à ces
deux grandes enquêtes intellectuelles, il est
ainsi suggéré que la sculpture aurait examiné
sa forme – son langage –, et, par une analyse
des caractéristiques physiques agissant sur le
spectateur, ses enjeux phénoménologiques.
Cette exploration s'est atténuée aux
alentours des années 1980. Le sculpteur
Tony Cragg résume clairement la situation :
« Nous sommes passés depuis la dernière
guerre par une période pendant laquelle on
a "nommé" de nombreuses possibilités de
faire de la sculpture, de nouveaux matériaux,
de nouvelles techniques, de nouveaux
concepts. Nous avons finalement terminé
ce processus de dénomination : ce qui appar-
tenait au "non-art", l'urinoir, les empreintes,
la sérigraphie, a été pris et mis dans l'art.
Il n'y a pas un matériau qui n'ait été nommé,
pas une technique, que ce soit cracher, chier,
pisser, toutes les réponses physiques, on peut
les utiliser. […] Maintenant, nous pouvons
commencer à écrire des mots, à faire des
phrases, à chercher une nouvelle signification.
Il y a quelques années, les gens s'inquiétaient
du post-modernisme, de la fin du modernisme, ils pensaient qu'il ne restait plus rien
à inventer, c'est fou ! Maintenant, tout est
en place […], c'est le vrai moment pour
commencer à travailler[12]. »

Longtemps vue par la critique et le public
comme secondaire, délaissée parce que
rébarbative, ou considérée inintéressante
(« la sculpture, c'est ce contre quoi on bute
lorsqu'on se recule pour regarder une peinture », a dit un jour Barnett Newman[13]), la
sculpture est devenue autour de 1970 le lieu
crucial de la question de l'art, ce qui a dilué
puis réaffirmé son sens. Actuellement,
l'omniprésence dans notre culture de
domaines dits « dématérialisés » – les procédures de communication, l'économie et la
mondialisation, la télévision, la marchandise
numérisée – amène les artistes à employer
des médiums de même nature. Le rôle de
la sculpture est d'agir par sa force de contre-
poids, par sa matérialité, par les relations
spatiales qu'elle tisse entre elle et le corps
du spectateur, entre ce dernier et les
objets du monde, l'autre.

Taille directe et matériau plein

La première manifestation d'une
recherche de définition de la sculpture
moderne apparaît dans un débat portant
sur la différence entre la taille et le modelage.
Selon Wittkower, il fut suscité par la
confrontation entre Rodin et la méthode de
Michel-Ange prônée par le sculpteur Adolf
von Hildebrand dans son livre *Das Problem der
Form in den bildenden Kunst* [Le problème
de la forme dans les arts figuratifs][14].

Hildebrand défendait la taille directe de
la pierre, effectuée par strates successives.
Il exprimait ainsi la préférence que
Michel-Ange avait signifiée dans le célèbre
paragone, lorsqu'il avait défini pour Benedetto
Varchi les deux méthodes du sculpteur, l'une
physique et rude, « *per forza di levare* »,
l'autre souple et proche de la peinture,
« *per via di porre* »[15]. Or, à la fin du XIXe siècle,
et, de façon plus générale, depuis
Michel-Ange, la méthode médiévale de la
taille directe, périlleuse pour l'exécution des
statues, n'était plus guère employée. Les
sculpteurs préféraient monter leurs figures
en terre sur une armature. On en tirait des
moulages de plâtre, qui étaient soit amenés
à la fonderie pour le bronze, soit traduits
dans le marbre par un « praticien » à l'aide
de la machine à mise-aux-points (fig. 3).
L'atelier de Rodin était exemplaire à cet égard
et Rodin lui-même incarnait le modeleur par
excellence, celui qui laisse vibrer les ombres

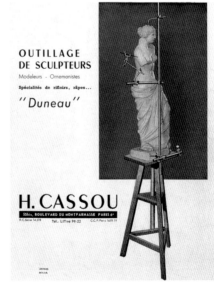

Fig. 3
Machine à
mise-aux-points

Fig. 4
Auguste Rodin
*Balzac, étude pour
le manteau,* 1897, plâtre
Musée Rodin, Paris.
Photographie E. Freuler
Ph. 1209, papier salé
20,3 x 12,9 cm
Musée Rodin

Fig. 7
André Derain
*Homme accroupi
(figure accroupie)*
1907, pierre (grès)
33 x 28 x 28 cm
Museum Moderner
Kunst Stiftung Ludwig
Wien, Vienne

et les lumières sur la texture sensible de ses
œuvres, obtenue par ajouts de « touches » de
terre, fidèlement retranscrites dans le plâtre
(*Balzac, étude pour le manteau,* 1897, fig. 4).

Il n'est pas certain toutefois que l'académique
Hildebrand ait fait véritablement école à
Paris[16]. Les artistes semblent avoir découvert
la taille auprès de Gauguin le « primitif »,
le « sculpteur sur bois »[17], l'artiste qui rejetait
la référence antique et la « décadence » des
sociétés modernes pour se ressourcer auprès
de l'art égyptien, médiéval et exotique.
Au Salon d'automne de 1906, la rétrospective
de ses œuvres montrait des bois taillés où
perçait encore la branche de l'arbre.
Sa sculpture apportait une immédiateté
tactile, une présence brute de la matière qui
faisaient des plâtres des salons des fioritures
dépassées. Cette découverte affecta d'abord
les peintres: Picasso s'en empara (*Figure,* 1907,
fig. 5). Avec son *Nu debout* (1907, p. 35),
Derain opéra une synthèse des questions
que Gauguin posait à la sculpture.
Le *Nu debout* a des affinités avec *Oviri* (1894,
fig. 6), dans la façon dont l'un des bras
se colle au corps et dont les jambes fléchissent
sans que l'on saisisse pleinement la logique
anatomique. William Rubin a fait remarquer

 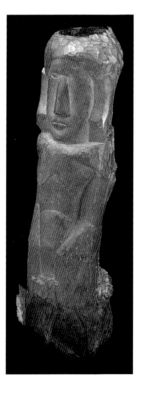

Fig. 6
Paul Gauguin, *Oviri,* 1894
Grès cérame partiellement émaillé
75 x 19 x 27 cm
Musée d'Orsay, Paris

Fig. 5
Pablo Picasso, *Figure,* 1907
Buis avec traces de crayon et de
peinture sur le dessus de la tête
35,2 x 12,2 x 12 cm
Musée Picasso, Paris

Fig. 8
Constantin Brancusi
Le Baiser, 1907-1908
28 x 26 x 21,5 cm
Pierre
Muzeul de Artà,
Craïova, Roumanie

Fig. 9
Pablo Picasso
Tête de femme
1932, bronze
71,5 x 41 x 33 cm
Musée Picasso, Paris
Dépôt au
Centre Pompidou,
Musée national d'art
moderne, Paris

ce que l'attitude mi-assise d'*Oviri* devait
à la statuaire exotique, mais aussi combien
cette forme d'abandon pouvait être une image
mémorielle de l'*Esclave mourant* (1513-1515)
de Michel-Ange[18].
En reprenant ce type de silhouette
dans la *pierre*, Derain gardait un lien avec le
contrapposto classique (par ailleurs, les profils
peu travaillés évoquent la méthode frontale
de Hildebrand). Mais il soulignait aussi,
comme il le fit dans son *Homme accroupi*
(1907, fig. 7), la « contrainte du matériau »
qui lie dans la sculpture médiévale ou
égyptienne la figure à son bloc initial, et,
ce faisant, amène le spectateur à en ressentir
la présence physique. La naïveté de l'approche
– volontiers cultivée par Gauguin – conférait
une « primitivité » convoquant l'antériorité et
l'universalité de la taille directe. La sculpture
semblait y retrouver sa définition première
de matériau dur entaillé d'un outil.

Est-ce le choix de la pierre par Derain
qui incita Brancusi à s'approprier la taille
directe ? Il est possible qu'en 1907 le bois ait
paru au sculpteur roumain trop proche des
ornements « artisanaux » de son pays natal.
Sydney Geist fait remarquer que le premier
Baiser, de 1907-1908 (fig. 8), a des

proportions et une compacité analogues
à *L'Homme accroupi*[19], bien que les reliefs
féminin et masculin unis dans le bloc le
rapprochent de *Hina et Te Fatou* (1892-1893)
de Gauguin. Dès les premières « tailles » et
toute sa vie, Brancusi fit ressortir la force du
bloc, la densité du matériau, son poids
équilibré en fonction de la gravité.
Dans le *Baiser* de 1923-1925 (p. 36), qui se
clôt sur lui-même, l'alliance intime des incises
rythmées de la surface avec la forme pleine
du matériau procure le sentiment de l'union
de deux êtres, leur constitution en un tout
autonome, tandis que la pierre dit la perma-
nence universelle de l'attraction amoureuse.
La force de l'œuvre tient ainsi à un « langage »,
dont les critères ne sont pas attachés à
une ressemblance, mais à des perceptions
physiques susceptibles d'être partagées par
la communauté des hommes.

Plein, creux, entailles

En fait, de nombreux sculpteurs, y compris
Brancusi, se saisirent du vocabulaire de la
masse pleine révélée par la taille directe sans
accepter nécessairement les inconvénients
de son irréversibilité. Ainsi, dans *Maggy*

(1912/1948, p. 37), Duchamp-Villon a monté
en *terre* des volumes architecturés par la
netteté des découpes, par l'opposition franche
des pleins et des anfractuosités. L'*Ascension*
(1929/1969, p. 45) de Otto Freundlich élève
un poing de « pures forces », une masse
serrée aux formes imbriquées, portant un défi
menaçant à la gravité. Mais c'est un illusionnisme de peintre, au profit d'un effet proprement sculptural de poids en suspens,
car seuls la ductilité du bronze et le fait que le
métal est creux permettent la tension due
au resserrement entre les formes compactes
du haut et du bas. Dans une *Tête de femme*
de 1932 (fig. 9), Picasso change d'échelle
la procédure additive en accolant ce qui
ressemble à des boules de terre agrandies.
Celles-ci deviennent, à l'instar de Brancusi,
des masses juxtaposées en équilibre.
Au contraire, dans sa *Tête* de 1918-1919
(p. 39), Laurens paraît tester les limites du
matériau dur en donnant l'illusion d'y ajouter
un plan qui, étant en fait de la même pierre
que la masse, « tranche » par sa fragilité.

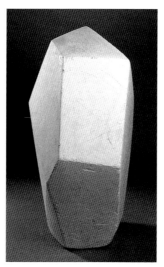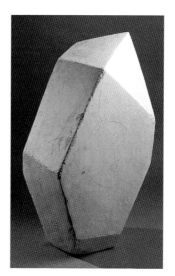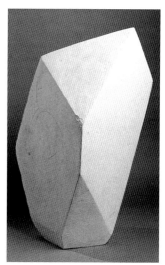

Fig. 10
Alberto Giacometti
Cube, 1933, plâtre
94 x 60 x 60 cm
Centre Pompidou,
Musée national d'art
moderne, Paris

L'une des sculptures les plus propices à
retourner les effets de plein et de vide issus des
techniques est le *Cube* (1933) de Giacometti
(fig. 10). Après avoir pratiqué le modelage
avec Bourdelle, Giacometti choisit le plâtre,
ce matériau additif qui permet aussi de
tailler et de polir. Il atteignit ainsi avec ses
« plaques » une apparence de compacité
modulée en signes humains par des reliefs et
des concavités, que l'on retrouve, accentués,
dans la table horizontale du *Paysage-tête
couchée* (1932, p. 96). Très légèrement
convexe, l'original en plâtre du *Cube* se
présente comme le bloc équarri du tailleur
de pierre, en attente d'une figure que la
découpe prismatique laisse en suspens, mais
dont l'amincissement à la base suggère qu'elle
serait une tête. De près, les accidents de
la surface dévoilent son édification en plâtre.
La forme en devient obtuse, muette : c'est
une coque, une cage aveugle, la forme d'un
vide, qui a perdu sa potentialité de signifier
la beauté encore prisonnière de la matière.
La rationalité qu'évoque le mot *Cube*,
défaite par la difficulté de comprendre
l'ordre des facettes de l'objet, contribue à
son ambiguïté, à son étrangeté. Ce polyèdre
au « chiffre destinal » de 12 + 1 facettes
– ainsi que l'énonce Georges Didi-Huberman[20] –
avec sa face aveugle retournée vers la terre
tenant les douze autres, se fait à la fois
quasi-être et renoncement à être, tête, crâne,
« objet » de méditation, interrogation sans
réponse.

Sculpteur sensible à la plénitude littérale
du matériau, Brancusi a-t-il fait de ses
coques de bronze des centres rayonnants en
polissant et repolissant leurs surfaces parce
qu'il ne pouvait les laisser telles et qu'il lui
fallait transcender ce qu'il savait être un
vide ? En comparaison avec l'obturation
un peu menaçante du *Cube*, la tête de
Mlle Pogany III (1933, p. 42) offre une image
de l'être comme un esprit en équilibre sur la
matière naturelle, à la fois enclos sur lui-
même et de pure sensibilité à l'extériorité,
une plénitude constituée des lumières et
des reflets de tout l'espace environnant.

Modelage et figure

À travers cette définition de la sculpture
par ses techniques traditionnelles se reposait
d'une manière nouvelle la question de la
représentation de l'homme et de sa place
dans l'univers. Avant la Seconde Guerre
mondiale, et à quelques exceptions près
– les plus notables étant Matisse et Picasso
qui ont violemment déconstruit le corps et
le portrait – le modelage demeura la marque
des suiveurs de Rodin ou des artistes désireux
de perpétuer une statuaire destinée, comme
le voulait le classicisme, à la glorification du
corps humain, par la recherche des proportions de sa beauté et sa logique anatomique
(Maillol, Despiau). Au contraire, en reprenant
de Brancusi la taille directe, des artistes tels
que Barbara Hepworth et Henry Moore
évoquaient, à travers ce qu'ils nommaient la
« vérité du matériau », l'énergie sourde d'une
nature ancestrale, une présence élémentaire
du vivant antérieure à l'humain.
À la même époque, l'usage du fer soudé
ou de matériaux exprimant la modernité,
faisaient – nous le verrons plus loin – de la
figure humaine une abstraction dans
l'espace.

Au lendemain de la Seconde Guerre
mondiale, certains artistes reprirent l'alliance
de la figure humaine avec la terre modelée,
cette pratique si chargée des mythologies
de la création de l'homme. Ce ne fut pas sans
souligner la faculté de la glaise à montrer
– comme dans *The Clamdigger* (1972, p. 59)
de De Kooning – la vase primitive où
l'homme se nourrit, d'où il semble émerger
et vouloir se diluer à nouveau. Ce caractère,
que restitue assez bien le bronze, retrouve
temporairement, après la Seconde Guerre
mondiale, la voie, amorcée autrefois par
Rodin, d'un entrelacement de la figure à

son processus visible de montage-modelage. Si un « humanisme » s'y redessine, il est sans gloire et mesuré à l'aune de la *matière*. Le *Concetto spaziale, Scultura nera*, (1947, p. 98) de Fontana silhouette ainsi l'homme dans son cosmos de terre. Ailleurs, dans *L'Orage* (1947-1948, p. 58) de Germaine Richier, l'homme est une élaboration incomplète, un golem monstrueux et pathétique. Chez Giacometti, le bronze tiré du plâtre semble une procédure additive inversée. Érodée, usée, irradiée, la matière ne fait pas naître la figure, elle en montre les dernières espèces, maintenues par la structure architecturée qui s'efforce à la dignité archaïque du monument. Cette interrogation de la figure humaine par modelage ou contre-modelage contient encore une idée démiurgique, la trace de cette idée, son désir. À l'inverse, la terre pour Penone – un des rares artistes qui l'utilise après 1970 – n'est plus un substitut de l'être vivant, mais la matérialisation de son *espace* de vie, une excrétion, un presque animal, un vase, un sexe féminin qui révèle l'absence/présence de l'homme par son empreinte (*Soffio 6*, 1978, p. 60).

Et lorsque la figure modelée est adoptée, à la fin du XXᵉ siècle, période où les enjeux formels ne se posent plus en recherches d'un vocabulaire, c'est comme pour éclairer rétrospectivement l'inquiétude de tout ce siècle vis-à-vis de l'homme et la difficulté des artistes à lui donner un visage – sinon élusif ou violent. Ainsi, la haute figure de Schütte (*Sans titre*, 1996, p. 65) interroge de nouveau, avec la visibilité de la technique du colombin démesurément agrandi, la soif humaine à s'octroyer le rôle du démiurge pour engager des rapports de pouvoir. Le caractère ancestral du procédé, son usage enfantin – que nous rappellent les œuvres de pâte à modeler de l'artiste dont cette figure semble issue – suggèrent que le geste de domination et la fermeture du visage sont le fruit de l'apprentissage humain. La fonte d'aluminium brillante de 2,50 m de hauteur traduit le personnage en un imposant robot primitif, en une machine menaçante que l'homme saurait reproduire à travers l'éducation et le savoir technique.

Vers la relation spatiale

La statuaire classique circonscrit clairement la place du spectateur: le socle, qui maintient la statue dans son espace et son temps propres, et le respect des canons antiques de beauté garantissent à la sculpture un état

d'exception et de modèle. Dans le maintien d'une hiérarchie entre l'espace de l'œuvre et l'espace du spectateur, ce dernier est invité à se projeter dans le modèle – Schütte utilise ce rapport, ce qui rend le processus effrayant. La mise en valeur de la forme pleine, l'abstraction qui l'accompagne n'ont pas fondamentalement modifié ce rapport. Ainsi que le démontrera la sculpture par son contraire, en rejoignant le sol ou en se déclinant sériellement, presque toute structure ou masse verticale de dimensions un peu supérieures ou inférieures à celles de l'homme, aussi abstraite soit-elle, est ressentie implicitement par le spectateur comme l'équivalent d'un corps. Dès *Fountain*, l'objet lui-même a prouvé qu'il était susceptible de recevoir une projection humaine, puisque l'urinoir renversé fut comparé à une Madonne[21]. C'est la prise en considération de l'espace qui introduisit les prémisses d'une modification de la relation spectateur/œuvre. Celle-ci fut relativement circonscrite dans la première moitié du XXᵉ siècle; ensuite, l'espace devint un élément des plus importants pour ouvrir la sculpture à l'élasticité de ses limites.

Comprise dans la compacité de son bloc, la sculpture appelle l'espace qui l'entoure, parce qu'elle s'y détache, comme le soulignent les formes condensées de Brancusi. Elle incite aussi à sa transgression. Deux ans après avoir taillé le bois à la façon de Gauguin, Picasso fit pénétrer l'espace dans sa *Tête de femme (Fernande)* de 1909 (fig. 11). Confronté à un problème pictural – la façon dont la lumière s'introduisait dans la masse d'une tête –, il le résolut « objectivement[22] » dans le réel de la glaise. *Tête de femme (Fernande)* répandit bientôt sa dialectique cubiste de pleins et de creux auprès de Boccioni,

Fig. 12
Pablo Picasso,
Construction au joueur de guitare
Photographie
1913, Paris
Musée Picasso,
Paris

Archipenko, Lipchitz, Laurens – jusqu'à la tête alvéolée de Gabo de 1915. Mais déjà, en 1912, en pliant du papier – bientôt remplacé par la tôle –, Picasso avait substitué la volumétrie à la masse pour sa *Guitare* (1912)[23]. Un tuyau de poêle coupé devint le « réel » de la profondeur et le signe de l'ouverture de l'instrument.

Ainsi que l'atteste une photographie de l'atelier en 1913, Picasso jouait sur la libre circulation entre la *Guitare*, le plan du mur, des peintures et des papiers collés: l'invention de l'espace s'associait presque intrinsèquement à l'invention de l'assemblage, technique *additive* d'éléments hétérogènes, qui amenait des comparaisons entre la représentation mimétique et les échantillons de « réel » à valeur de signe. Sur une autre photographie (fig. 12), une véritable guitare jointe à des bras sortant d'un tableau près d'une table et d'une bouteille « réelles » laissent penser

Fig. 11
Pablo Picasso
Tête de femme (Fernande)
1909, bronze
40,5 x 23 x 26 cm
Musée Picasso, Paris

Fig. 13
Vladimir Tatline
Contre-relief en angle, 1915/1982
Reconstitution par Martyn Chalk, 1982
Peinture, fer, aluminium et zinc
78,8 x 152,4 x 76,2 cm
Courtesy Annely Juda Fine Art,
Londres

partielle d'un pont métallique.
La réalisation constructiviste par excellence
demeure toutefois le *Monument à la
IIIe Internationale* (1919/1979, p. 71)
de Tatline, dont la maquette, exposée pour
la première fois en 1920, était le projet d'une
véritable architecture, différant en cela des
Architectones de Malevitch – de couleur
blanche, ces derniers étaient destinés à une
vision mentale. Le *Monument à la IIIe Internationale,* dont l'inclinaison correspondait
à l'axe de rotation de la terre, devait dépasser
de 100 mètres son modèle implicite, la
Tour Eiffel, atteignant ainsi le 1/100 000[e]
de la circonférence de la planète. Il devait
être « de fer, de verre, et de révolution[25]. »
Sa double structure externe, spiralée comme
une « dynamo », aurait laissé voir des volumes
transparents à la géométrie première
portant « l'infini des virtualités formelles »[26],
et constituant autant de salles aux parois de
verre résillé tournant selon des phases tem-
porelles précises (année, mois, journée).
Régies par l'universalisme spatio-temporel,
ces salles auraient été ouvertes aux manifestations du peuple, à la propagande active,
à la communication. Au sommet était prévu
un émetteur radio; des films devaient être
projetés sur les nuées ou sur des écrans
accrochés à l'extérieur.

Étant donnée son intention plus symbolique
que fonctionnelle, la tour de Tatline est plus
aisément saisie comme une sculpture que
comme une maquette relevant d'une autre
catégorie artistique, l'architecture. Elle peut
s'imaginer aujourd'hui comme le projet d'un
espace total doté d'installations virtuelles
– les projections – qui impliquerait la participation active du spectateur. Les *Appareillages spatiaux* (1919/1973, p. 70) des frères
Stenberg, quant à eux, possèdent les
principes du double développement de la
sculpture comme construction. Par l'« ossature
dynamique[27] » de leur socle, ils font
silhouettes, corps abstraits. La logique de
leur structure contribue à cet effet, car elle
peut constituer un parallèle abstrait à
l'articulation du squelette qui était censé
sous-tendre la sculpture classique. En même

que l'assemblage représentation/réel
concernait autant les objets que l'espace.
Dans ce lieu privilégié de l'atelier, l'espace
du spectateur et celui de l'œuvre s'ouvraient
l'un à l'autre. C'est ce que vit Tatline lors de
sa visite à Picasso en 1914: il en tira bientôt
parti en intensifiant le rapport assemblage/
espace au moyen de l'abstraction, en
particulier dans son plus célèbre *Contre-relief*
(1915/1982, fig. 13). La suspension dans
l'angle d'un mur de surfaces-plans métalliques,
comme décollées de l'architecture existante,
donnait visibilité à cette dernière et mani-
festait ainsi la communauté d'espace entre

le spectateur et l'œuvre. En 1921, Pounine
pouvait écrire: « Tatline (et le tatlinisme)
[=] matériau[24]. » Dans son sillage, les construc-
espace réel
tivistes pratiquèrent la « culture des
matériaux », sélectionnant le fer, le verre et
l'acier pour leur modernité et leur propriété
d'organiser un espace commun à tous, celui
du paysage futur construit par l'ingénieur.
Leurs productions, à la troisième exposition
de l'Obmokhou en 1921, glissaient ainsi vers
la maquette d'ingénierie, tel l'*Appareillage
spatial KPS4* (1919/1973) des frères Stenberg,
qui peut se percevoir comme la structure

temps, la référence aux poutres métalliques
des ponts et des chantiers renvoie non à
l'homme mais au monde qu'il fabrique.
Le fait de saisir l'ensemble socle-sculpture
comme une pièce d'architecture métallique,
c'est-à-dire un élément de structuration de
l'espace, ouvre clairement la *relation spatiale*
entre l'œuvre et le spectateur. Dans les
décennies qui suivent, ces deux aspects vont
se déployer selon une chronologie assez
distincte. Jusqu'au minimalisme, les structures
de métal qui jouent tels des corps, tout en
circonscrivant l'espace, dominent. Par la suite,
la relation proprement spatiale s'accentue.

Sculpture construite et signe

La *Figure* de Picasso de 1928 (fig. 14)
marque une première phase en introduisant
le métal soudé. Cette petite structure de fer
si aérée était conçue comme une maquette,
celle, trois fois refusée, d'un monument à
Apollinaire. Werner Spies suggère qu'elle
serait une appropriation de la construction de
Tatline que Picasso avait pu voir en 1925 à
Paris, à l'Exposition internationale des arts
décoratifs et de l'industrie[28]. L'un des dessins
préparatoires rend l'hypothèse vraisem-
blable[29]. Spies explique également que
Picasso désirait rendre hommage à son ami
Apollinaire en réalisant la « statue en rien,
en vide » décrite dans *Le Poète assassiné*
(1916)[30]. Si les fines armatures soudées à
l'oxyacétylène par González architecturent
l'ensemble en évoquant des figures de
géométrie entrecroisées dans l'espace, la
seule présence au sommet du petit disque
de fer percé de trois trous lui procure un
caractère anthropomorphe. À la fois ouverte
et enclosant l'air, la *Figure* de Picasso prouve
à quel point l'artiste manie le signe plastique,
et comment une forme minimum, par sa
localisation, se répercute sur l'ensemble
auquel elle est reliée en lui transmettant
d'autres significations. Julio González, qui
comprit alors le parti qu'il pouvait tirer de la
soudure, poursuivit l'inscription sculpturale
dans l'espace, à l'aide de signes de fer qui
paraissent suspendus dans les airs. Il fit ainsi

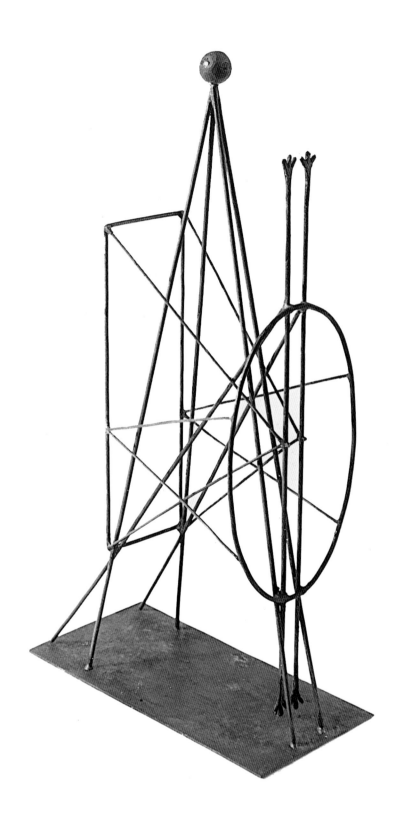

Fig. 14
Pablo Picasso
Figure, 1928
Fil de fer et tôle
37,5 x 10 x 19,6 cm
Musée Picasso, Paris
Dépôt au
Centre Pompidou,
Musée national
d'art moderne, Paris

monter, au moyen de brindilles métalliques rassemblées par une extrémité, une chevelure comme griffonnée par un enfant, conférant une fraîcheur d'esquisse naïve aux figures féminines, telle la si légère *Femme à la corbeille* (vers 1934, fig. 15) qui fait surgir dans le rien le volume de sa corbeille.

La sculpture de fer – mais aussi la structure traduite en bronze – a volontiers extrait de sa linéarité scripturale sa potentialité à faire signe. Les formes condensées en emblème savent gagner une intensité inconnue de la relation mimétique, une puissance de suggestion découverte auprès de la sculpture africaine et océanienne. Dans *Homme et femme* (1928-1929, p. 81), Giacometti réduit de cette façon l'une des figures à un « arc-lance » tendu jusqu'à presque toucher la femme, une « cuillère » en train de fléchir, incluse dans sa ligne *brisée*. C'est la violence d'un éclair qui qualifie le contact de l'un à l'autre. Au cours du xxe siècle, le signe formel a su aussi jouer sur des correspondances entre des référents épars que la forme sim-plifiée unit. Si, par exemple, le titre *Four Leaves*

Fig. 15
Julio González
Femme à la corbeille
Vers 1934
Fer forgé, soudé
180 x 63 x 63 cm
Legs de
Roberta González en 1979
Centre Pompidou,
Musée national
d'art moderne,
Paris

and Three Petals de l'œuvre de Calder (1939, p. 87) confirme que tel signe est bien une « feuille » – ce que suggère aussi la structure centrale faisant « tronc » et les tiges courbées qui s'y attachent et qui font « branches » –, les « trois pétales » appellent de leur forme une « main » qui redistribue notre vision première d'un arbre en celle d'une figure humaine agitée. L'artiste nous convie ainsi à une vision en remodelant l'humain comme une espèce du monde naturel au même titre que les arbres.

Après 1945, le totem, rassemblant substitut corporel et signe de reconnaissance, suscite de nouveaux hybrides. Avec leurs « têtes » mystérieuses et technologiques et leurs « corps » réduits à de fines antennes vibratiles, les *Signaux* de Takis (p. 90-91) semblent montrer des êtres de pure communication ou de pure transmission. Entre eux et le spectateur se glisse un espace bruissant, un air plein d'ondes invisibles qui passent les murs pour émettre aux étoiles. Face aux rebuts de la production de la société occiden-tale qui se multiplient après 1950, et pour ces objets qui se résignent devant les produits neufs, la logique de bricolage et de recyclage de la sculpture africaine devient le modèle d'une revivification. Trop chaotiques pour être proprement totémiques, les *Balubas* de Tinguely (p. 89) allient l'élégance de la sculpture construite et la relocalisation anthro-pomorphique de readymades rejetés et partiels. Leur assemblage en fait des corps dépecés, des fantômes exorcisés par l'agitation comique et le bruit que provoquent les soubresauts des moteurs.

Espace et *Objets spécifiques*

Un parallélépipède de bois est un élément simple : il pourrait être ce tronc équarri à partir duquel un totem sera taillé. Il apparaît aussi comme un échantillon des poutres avec lesquelles on construit les charpentes, et renvoie alors à l'exploitation des arbres et à l'industrie de l'habitat. Multiplié à l'identique, il tend à éliminer la projection d'un anthropomorphisme au profit de la connotation de construction. Sa répétition en combinatoire lui fait rejoindre les *Objets spécifiques*[31] que Donald Judd avait décrits en 1965 pour présenter les nouvelles formes tridimensionnelles qui échappaient à la projection humaine (*Stack*, 1972, fig. 16). Toutefois, *Blacks Creek* (1978, p. 73) de Carl Andre n'élimine pas le rapport à l'humain : il le redistribue. La disposition verticale de trois des modules

Fig. 16
Donald Judd
Stack, 1972
Installation : acier
inoxydable et plexiglas
470 x 102,5 x 79,2 cm
Centre Pompidou,
Musée national
d'art moderne, Paris

sur cinq dresse la sculpture face au spectateur, mais l'ensemble est trop bas pour être un corps debout, et trop élevé pour être une figure couchée. La combinaison géométrique, formant des « ponts » ou des « entrées », convoque l'architectural. Mais les dimensions ne sont alors ni fonctionnelles ni celles d'une maquette. Est-ce parce que la longueur horizontale de *Blacks Creek* est en fait à dimension humaine – 1,83 m ou 6 pieds – que nous pouvons mentalement nous ressentir nous baisser, traverser, expérimenter le poids des modules pleins, leur équilibre, le nôtre, la chute ? Nous éprouvons cette sculpture à travers une *relation spatiale* physiquement perceptible, comme un « nous » confronté à du « tout autre », qui aurait malgré tout quelque chose d'un « nous ».

La gravité règle notre existence autant que le temps et l'espace. Nécessairement prise en compte par le sculpteur, elle demeure, chez le spectateur, le plus souvent une condition impensée. Ainsi, par inadvertance, pouvons-nous marcher sur un carré d'étain de Carl Andre (*144 Tin Square*, 1975, p. 74), jusqu'à ce qu'une plaque oscillante nous rappelle à nos pas, à l'œuvre de laquelle nous nous retirons, au sol sur lequel nous pesons, comme pèse la matière métallique. Au contraire de l'aspect brut des *Floorpieces* de Andre, le métal laqué blanc des *Pieces* de Sol LeWitt (*5 Part Piece (Open Cubes) in Form of a Cross*, 1966-1969, p. 72) en appellerait aux constructions mentales à la façon des *Architectones* de Malevitch, si leurs dimensions, imposantes, n'abordaient pas aussi physiquement le spectateur. Les œuvres minimalistes démontrent ainsi que la reconnaissance mentale d'un ordre – un carré de carré, une croix de cubes – s'expérimente corporellement. Elles renvoient le spectateur à sa propre perception.

La *Cabane n°6 : les damiers* (1985, p. 77) de Buren partage avec les pièces minimalistes le principe des structures appelant les angles des murs, sol et plafond – ces repères d'un espace contenant à la fois les œuvres et le spectateur –, et la découverte par une expérimentation en temps réel de l'œuvre et de son système. La pénétration physique d'une *Cabane* nous fait saisir sa construction dans la coque architecturale du musée, avec des effets de perspective « réelle » et le *signe* de l'accrochage des tableaux au-delà de sa structure fragile sur leurs lieux assignés, les murs blancs. Son éclatement nous fait découvrir la fonction encadrante de l'espace institutionnel de l'exposition, son absence de neutralité sous sa neutralité voulue.

Outil portatif de la critique du musée, la *Cabane* nous rappelle aux conditions de notre regard sur les œuvres. Sculpture par sa mise en scène spatiale, elle donne la preuve de l'ouverture de cet art en témoignant de l'éclatement des catégories artistiques.

Antiforme et monument

L'une des vocations ancestrales de la sculpture est le monument : la pierre, le bronze conservaient jadis le souvenir des faits ou des personnes dignes de la mémoire collective. Relevant que le monument est en relation à son site – le lieu ayant une force mémorielle – Rosalind Krauss avance que la sculpture moderne s'est affranchie de cette convention par son nomadisme[32]. Même si leurs monuments n'aboutirent pas, des artistes tels que Picasso ou Tatline ne renièrent toutefois en rien cette vocation. À partir de 1960, cependant, une critique s'opéra sur ce qui semblait être une édification de l'homme à lui-même, une monumentalisation de modèles auto-complaisants. Une glorification de l'anthropocentrisme fut soupçonnée dans tout matériau solide – fer ou pierre – ou dans la vocation démiurgique de l'argile. La sculpture érigée et rehaussée sur son socle *élevait* un hommage à l'homme, à sa virilité, ainsi que le démontrait l'abstraction verticale des formes. *Casb 1'67* (1967, p. 49) de Flanagan, ce sac de toile rempli de sable, peut ainsi apparaître comme une parodie de la sculpture qui le précède, s'efforçant à l'érection, alors qu'elle est menacée d'effondrement de l'intérieur. Le *contenu* n'est plus la structure interne humaine ou l'autosatisfaction phallique, mais des milliers de grains de sable, manifestation de l'entropie planétaire et de la relativité de l'homme en regard du monde matériel.

Bien qu'anti-monumentales, les *Floorpieces* de Andre soulignaient encore, par leur géométrie, la volonté de l'humain à imposer ses normes à la matière. En inventant en 1968 la notion d'« *Anti Form*[33] », Robert Morris désirait laisser cette dernière à ses propres conditions physiques. Il présenta à cette fin ses *Felt Pieces* (*Wall Hanging Felt Piece*, 1971-1973, p. 51), dont la soumission à la gravité contrastait avec la rigidité construite, architecturale, du support. L'*Anti Form* appelait des configurations souples, se modifiant selon l'accrochage, prenant l'espace sans lui déterminer une organisation. S'il demeurait de l'humain dans la fabrication des *Felt Pieces*, celles-ci désignaient la matière, la rendaient monumentale.

Peu avant, s'adressant au corps humain, Oldenburg avait mis en place l'effondrement tragi-comique de la structure interne en fabriquant avec des matériaux souples des objets allusivement corporels. Ceux-ci induisent qu'un échange s'opère entre notre substance physique et les objets de production, aboutissant à une réification du corps aux apparences molles, voire confortables. En soi, la retombée du matériau a une vertu anti-monumentale, comme en témoigne la déconfiture qui semble envahir la maquette de la gigantesque tête équine que Picasso fit pour la ville de Chicago (*Soft Version of Maquette for a Monument donated to Chicago by Pablo Picasso*, 1969, p. 50). Avec ses « objets géants » mous, Oldenburg pastiche le monument en inversant ses valeurs. En quoi en effet une poche à glace, destinée – éventuellement – à rafraîchir des lendemains arrosés, mérite-t-elle de s'inscrire dans la mémoire ? Sa couleur rouge, son ampleur, le bouchon qui la coiffe comme une tiare d'argent, font de *Giant Ice Bag* (1969-1970, fig. 17) une icône, l'image d'une

Fig. 17
Claes Oldenburg
Giant Ice Bag
1969-1970
Vinyle et
matériaux divers
Diam. : 600 cm
Centre Pompidou,
Musée national
d'art moderne,
Paris

Fig. 18
Barry Flanagan
Nijinski Hare, 1989
Bronze, 240 x 115 x 75 cm
Collection particulière,
Irlande

éminence à laquelle le gonflement et le dégonflement de la robe confèrent une infatuation comique. De près, pourtant, le rouge et la pulsation connotent une vie organique palpitante, avec sa vulnérabilité, son caractère émouvant. Cet « anti-monument » pourrait bien être un hommage à l'ordre du vivant.

Avant Oldenburg, l'organique – qui régit l'homme comme le végétal et l'animal – a eu sa tradition représentative, en particulier à travers les caractères « biomorphiques » des reliefs et des sculptures de Jean Arp, repris ensuite par Hepworth, Moore ou Calder. Pour ses sculptures, Arp souhaitait ne pas imposer sa maîtrise à la matière, mais être à l'écoute du processus de la nature en produisant l'art comme un arbre donne des fruits. Ainsi, son *Pépin géant* (1937, p. 47) traduit son désir de faire de l'humain une éventualité de la nature au même titre qu'un végétal ou que tout autre élément s'animant de vie. L'organique traverse la sculpture jusqu'à aujourd'hui, et, depuis les sculptures plates de Andre et l'*Anti Form* de Morris, s'allie « naturellement » au sol. Mais désormais, si *Breed* (1989, p. 54) de Richard Deacon ou les *Bois flottés* de Toni Grand (p. 52) sont constitués de formes végétales ou animales, rampantes comme des vers ou enlaçant l'espace en un parcours aléatoire et serpentin, leurs composants de résine ou de bois stratifié rappellent, qu'à l'échelle de notre terre, l'univers naturel est désormais infiltré par la transformation chimique produite par l'homme. En recomposant les objets rejetés de la société selon un ordre croissant, « naturel », dans une spirale (*Opening Spiral,* 1982, p. 75) qui évoque à la fois la vie organique et la fuite du temps – que montre aussi l'usure des débris –, Tony Cragg peut tenter de reconstituer les constructions humaines : elles n'apparaissent plus que comme un monde à taille réduite, fait des imperfections qui n'ont pas été prévues par l'utopie moderne. Et c'est encore plus humblement, avec du papier hygiénique – ce sous-produit du bois –, que Michel Blazy trace le dessin éphémère d'un petit territoire, dont les formes, non directives, sans pouvoir d'interdits, parviennent à glisser de la poésie dans l'ordre régnant (*Sans titre,* 1994, p. 55).

La sculpture après 1980 : données sculpturales

De 1980 à 1990 environ, certains artistes ont mis en perspective les définitions de la sculpture moderne. Baselitz a réinterrogé le pouvoir totémique du bois plein et la violence de la taille, Flanagan la malléabilité de la cire et de l'argile et la ductilité du bronze (*Nijinski Hare,* 1989, fig. 18). L'ironie ou l'humour ont souvent permis de lier le recul critique à l'hommage, comme on le voit dans *Le Béret de Rodin* (1984, p. 52) de Dietman. En associant le readymade à l'absorption du socle par la sculpture réalisée autrefois par Brancusi, Bertrand Lavier a fait une synthèse subtile des enjeux concernant le statut de l'objet. Ainsi, *Hi-Lift Jack/Zanussi* (1986, p. 78) peut apparaître comme une sculpture : le cric américain sur son socle, le réfrigérateur. Structure quasi constructiviste, la partie « sculpture » aurait toujours valeur de pseudo-corps. En même temps, les deux objets manifestent un élément qui les égalise symboliquement, leur valeur d'usage dans la vie courante, qui rappelle ce qu'ils seraient hors musée : un empilement d'objets. L'œuvre se présente alors comme un *ensemble* posé sur le sol que partage le spectateur, ainsi que le fait l'usager des objets dans le monde courant. Cette double réception est encore activée par la simplicité volumétrique du réfrigérateur. Tandis que ce dernier implique le geste de son usage, il évoque les *Objets spécifiques* minimalistes, qui, en se détachant sur l'espace environnant, rendent sensible la *relation spatiale* entre l'objet et le spectateur. *Hi-Lift Jack/Zanussi* frôle l'installation par ces glissements et cette relation spatiale que suggère aussi le fait que les objets semblent déplaçables.

La *relation spatiale* est une donnée sculpturale correspondant à cette perception de l'espace, qui, depuis les constructivistes, s'emploie et se ressent comme un matériau. Cette donnée se double, se fond ou se confronte avec le mode de projection consciente et/ou inconsciente du spectateur dans un objet matériel avec lequel il s'identifie, s'oppose ou se perçoit comme corps étranger, ou bien dans lequel il laisse vagabonder son imaginaire. De telles données sculpturales, matérielles et spatiales, sont désormais souvent utilisées par des artistes qui ne sont pas des « sculpteurs », mais qui désirent présenter l'homme en ce qu'il est un sujet corporel dans un monde matériel interprétable sur le plan symbolique et imaginaire. Deux exemples nous le montreront.

En un sens, l'ensemble d'objets en élastomère noir réalisé par Fischli/Weiss (*Installation,* 1986-1987, p. 102-103), et *Polyfocus* (1999, p. 63) de Gilles Barbier analysent la définition du moulage. Utilisant ce qui était une activité annexe du modelage comme procédure principale, les artistes en soulignent la fonction de reproduction, en désignant l'importance actuelle de la reproductibilité du tangible. L'élastomère noir, qui répand son opacité uniforme sur les meubles et les objets que l'on choisit pour son foyer intime, implique que la reproductibilité a jeté son ombre sur ce que l'homme a de plus personnel. *Polyfocus* souligne qu'elle a désormais touché les hommes eux-mêmes, en engendrant des « ratés », des produits dérivés. Chez Fischli/ Weiss, l'armoire, le pouf, le mur rappellent, par leurs proportions, les *Objets spécifiques* minimalistes, tandis que l'élastomère a une élasticité corporelle. La bougie un peu kitsch, l'écuelle du chien, une racine trouvée dont on a fait une sculpture, un range-couverts sont les objets ordinairement rassurants sur lesquels les hommes ont prise. Devenus comme les premiers des présences noires étranges, ils instaurent une relation spatiale interrogative avec le spectateur : quelle est sa position en tant que sujet privé, comment accorde-t-il une intimité aux choses, quel imaginaire peut-il projeter par-delà l'ombre de la reproductibilité, lorsque la chaleur ou l'affection n'apparaissent que sous forme d'indice (la bougie, l'écuelle) et l'univers naturel comme un souvenir réifié (la racine) ?

Chez Barbier, l'utilisation de la cire connote le musée historique et l'imagerie ancienne de la médecine, image qu'actualise le costume de chirurgien. Ces rappels introduisent une inquiétante étrangeté ; l'aspect de morts-vivants des personnages est intensifié par la multiplication des visages identiques. Le chirurgien est celui qui manipule les corps : c'est une figure du pouvoir, dont ici la fermeture du visage, le regard surplombant et défaussé laissent supposer qu'il vise à exclure ce qui ne lui ressemble pas. La sculpture se fait clairement identifiant corporel que la multiplication du « presque-même » rend spatial : confronté à l'un des personnages, le spectateur en saisit un autre à l'angle de sa vision, tandis qu'il manque trébucher sur un troisième. La relation spatiale n'agit plus en fonction des objets ou des constructions, mais vis-à-vis de la société humaine – par exemple, les hommes fréquentent le musée, auxquels se mêlent ces figures inquiétantes. Où se situe le sujet spectateur, lorsque la société, ses semblables, *lui-même*, deviennent l'objet d'une manipulation tendant à l'uniformisation, d'une repro-ductibilité amoindrissante ?

La sculpture suscite l'interrogation que le *sujet* porte sur lui-même, elle nous rappelle que nous sommes des corps qui perçoivent, des corps tout à tour agissants ou assujettis, manipulés ou porteurs de pouvoir. Cette perception se mesure avec des données tangibles, de la *matière* symbolisée. Mode matériel de projection, la sculpture pose littéralement la question de notre situation dans l'espace, face au monde naturel, au monde que nous transformons et dans lequel, quelquefois, nous ne nous retrouvons pas face aux autres corps qui pourraient être un peu nous-mêmes. Si la sculpture disparaît, est-ce que cela signifiera que la question du sujet comme corps, du réel comme matière, est devenue obsolète ?

Notes

1. Il faut attendre le livre de Carola Giedion-Welcker, *Moderne Plastik, Elemente der Wirklichkeit, Masse und Auflockerung* [Les arts plastiques modernes, éléments de la réalité, de la masse et du vide] en 1937 (Zurich, H. Girsberger), édition révisée et complétée en 1955 sous le titre *Plastik des 20. Jahrhunderts. Volumen und Raumgestaltung* [Les arts plastiques au xxᵉ siècle : volumes et architecture intérieure] (Stuttgart, Hatje), pour avoir une vue théorisée de la sculpture comprenant l'abstraction.

2. Robert Goldwater (dir.), *What is Modern Sculpture ?*, cat. d'exposition, New York, The Museum of Modern Art, 1969. L'ouvrage d'Alfred Barr, *What is Modern Painting ?* (New York, The Museum of Modern Art, 1943) avait déjà fait l'objet de plusieurs rééditions à cette date.

3. Margit Rowell (dir.), *Qu'est-ce que la sculpture moderne ?*, cat. d'exposition, Paris, Centre Georges Pompidou, Musée national d'art moderne, 1986.

4. Dominique Bozo, « Sculpture contemporaine 1945-1980 » [1984], in *Encyclopædia universalis*, vol. XX, Paris, Encyclopædia Universalis, 1996, p. 772-776.

5. Rosalind Krauss, « La sculpture dans le champ élargi », in *L'Originalité de l'avant-garde et autres mythes modernistes* [1985], Paris, Macula, 1993, p. 111. Trad. française par J.-P. Criqui.

6. Clement Greenberg, « La peinture moderniste », *Peinture, Cahiers théoriques*, nº 8/9, 1ᵉʳ trimestre 1974, p. 33-35.

7. *Ibid.*

8. *Ibid.*

9. Werner Spies (dir.), « Hors de la "tyrannie imbécile des genres". La *Guitare* », in *Picasso sculpteur*, catalogue raisonné, Paris, Éditions du Centre Pompidou, p. 68.

10. Voir William A. Camfield, *Marcel Duchamp, Fountain*, cat. d'exposition, Houston (Texas), Houston Fine Art Press, 1989, p. 28. Ce mot de l'artiste envoyé à sa sœur le confirme : « Une de mes amies sous un pseudonyme masculin, Richard Mutt, avait envoyé une pissotière en porcelaine comme sculpture. »

11. R. Krauss, *Passages. Une histoire de la sculpture de Rodin à Smithson* [1977], Paris, Macula, 1997, p. 8. Trad. française par C. Brunet.

12. Entretien inédit avec l'auteur, 1993.

13. Cité par R. Krauss, « La sculpture dans le champ élargi », art. cité, p. 117.

14. Rudolf Wittkower, *Sculpture. Processes and Principles*, Londres, Allen Lane, 1977 ; trad. française par B. Bonne, *Qu'est-ce que la sculpture ? Principes et procédures*, Paris, Macula, 1995. Adolf von Hildebrand, voir note 16.

15. Michel-Ange, « *Al molto magnifico et onorando m. Benedetto Varchi* » [Au très magnifique et honorable Messire Benedetto Varchi], cité par Benedetto Varchi,

« *Lezione della maggioranza delle arti* » [Théorie sur la supériorité des arts] *in* Paola Barocchi (dir.), *Benedetto Varchi, Vincenzio Borghini, Pittura e scultura nel Cinquecento* [Benedetto Varchi, Vincenzio Borghini, peinture et sculpture au Cinquecento], Livourne, Sillabe, 1998, p. 84. « *Per forza di levare* », littéralement : « par *force* d'enlever » ; « *per via di porre* » : « par la voie de l'ajout » (c'est moi qui souligne).

16. A. von Hildebrand, *Das Problem der Form in den bildenden Kunst*, Strassburg, J.H.E. Heitz, 1893. L'ouvrage a fait l'objet de plusieurs rééditions. Il a d'abord été traduit en français (*Le Problème de la forme dans les arts figuratifs*, Paris et Strasbourg, E. Bouillon et Heitz & Mündel, 1903 ; trad. française par G. M. Baltus), avant de paraître aux États-Unis en 1907 (*The Problem of Form in Painting and Sculpture*, New York, G. E. Stechert, trad. américaine par M. Meyer et R. Morris Ogden). Entre la parution du livre de Hildebrand et la rétrospective des œuvres de Gauguin, aucun sculpteur (sauf peut-être Joseph Bernard) n'avait employé la taille directe dans la pierre. En revanche, des proches de Gauguin, parmi lesquels Maillol et Lacombe, avaient directement travaillé le bois dès 1894.

17. Philippe Dagen, *L'« Enquête sur les tendances actuelles des arts plastiques » de Charles Morice*, Paris, Lettres Modernes, 1986, p. 24.

18. William Rubin, « *Primitivism* » in 20ᵗʰ Century Art. Affinity of the Tribal and the Modern, cat. d'exposition, New York, The Museum of Modern Art, 1984, p. 245-246.

19. Le sculpteur roumain aurait pu le voir à la galerie de Kahnweiler à l'automne 1907. Voir Sydney Geist, « Brancusi », in « *Primitivism* » in the 20ᵗʰ Century Art…, op. cit., p. 345.

20. Georges Didi-Huberman, *Le Cube et le Visage. Autour d'une sculpture d'Alberto Giacometti*, Paris, Macula, 1993, p. 11.

21. W. A. Camfield, *Marcel Duchamp, Fountain*, op. cit., p. 33.

22. « Lectures alternatives. La *Tête de femme* de 1909 », in W. Spies (dir.), *Picasso sculpteur, op. cit.*, p. 57-60.

23. La même année, Duchamp écrit : « Faire valoir le principe de charnière dans les déplacements : 1º dans le plan ; 2º dans l'espace » (Michel Sanouillet [dir.], *Duchamp du signe. Écrits*, Paris, Flammarion, 1975, p. 42).

24. Nikolai Pounine, cité par Vasilii Rakitin, « The Artisan and the Prophet : Marginal Notes on Two Artistic Careers », in *The Great Utopia. The Russian and Soviet Avant-garde, 1915-1932*, cat. d'exposition, New York, Solomon R. Guggenheim Museum, 1992, p. 28.

25. Victor Chklovski, « Le Monument à la IIIᵉ Internationale » [Jizn Iskousstva, 1921], in Larissa Jadova (dir.), *Tatline*, Paris, Philippe Sers, 1990, p. 405.

26. Andréi Nakov, *Abstrait/Concret, Art non-objectif russe et polonais*, Paris, Transédition, 1981, p. 109. L'auteur rapproche le monument des volumes « primordiaux » de Malevitch.

27. *Ibid.*, p. 196.

28. « 1928 L'année plastique ». *Le Monument pour Apollinaire* », in W. Spies (dir.), *Picasso sculpteur, op. cit.*, p. 117.

29. « Une statue en rien, en vide », *ibid.*, p. 119.

30. *Ibid.*, p. 118.

31. Donald Judd, « Les objets spécifiques », in M. Rowell (dir.), *Qu'est-ce que la sculpture moderne ?, op. cit.*, p. 384-390.

32. R. Krauss, « La sculpture dans le champ élargi », art. cité, p. 115.

33. Robert Morris, « Anti Form », *Artforum*, vol. VI, nº 8, avril 1968, p. 33-35.

catalogue des œuvres

forme

Marielle Tabart

plein/creux

Au début du xxᵉ siècle, ce sont curieusement des peintres – les inventeurs du fauvisme et du cubisme –, qui opèrent les premières ruptures de la modernité dans le mode sculptural. Le même mouvement, qui les conduit à retrouver d'abord des sources primitives et exotiques, à la suite de Gauguin, les amène à redécouvrir le volume plein, dégagé dans la matière selon la pratique des sculpteurs de l'art africain ou de l'art roman. À la taille directe, qui substitue la masse du matériau à la forme modelée à partir du vide, s'ajoute une volonté d'archaïsme qui va du non-fini délibéré à la maladresse feinte. Le *Nu debout* (1907) de André Derain comme le premier *Baiser* (1907-1908) de Constantin Brancusi – dont une version plus tardive (1923-1925) exalte la préservation du bloc de pierre – constituent à cet égard des œuvres exemplaires. D'aucuns ont reconnu dans ces dernières un véritable manifeste, du moins un jalon historique, à l'instar des *Demoiselles d'Avignon* (1907) de Picasso et du *Grand nu* (1908) de Braque, dont elles sont contemporaines et qui répondent au besoin de traduire en peinture la représentation du volume par d'autres moyens que ceux de la perspective et de l'illusionnisme hérités de la Renaissance. L'ambitieux *Nu debout*, taillé directement dans la pierre, tente une synthèse entre les préoccupations de Derain – partagées avec ses amis Matisse, Picasso et Braque –, celles de Cézanne et différentes sources archaïques, par la géométrisation du corps resserré dans le bloc compact, et la taille inachevée qui valorise la brutalité du matériau. La soumission de la figure aux contraintes de la pierre, à laquelle celle-ci s'identifie, se retrouve dans la forme cubique du *Baiser* de Brancusi, où les personnages tronqués à mi-corps sont liés en un seul bloc – œil à œil, bouche à bouche – par la force parallèle des bras stylisés, comme si c'était la masse de la pierre intérieure et extérieure qui unissait les figures. Conçue dans le plâtre dès 1911 par Raymond Duchamp-Villon, *Maggy* est le fruit d'une recherche similaire

avec des techniques différentes, comme celle conservée du modelage traditionnel. Elle marque une étape logique dans une évolution personnelle; certains critiques ont voulu y voir une influence de l'art nègre ou une référence à la sculpture romane ou gothique. Le traitement synthétique du modèle, dont l'expression est amplifiée par des traits massifs, engendre une architecture de volumes saillants, à peine creusés, qui affirme la force du volume abstrait. Celui-ci se substitue à l'idée du modèle, selon les propres termes de Duchamp-Villon : « Comprimer une idée, c'est ajouter à sa force. » Plus discrète et moins monumentale, une même alternance de pleins et de vides venant soutenir la forme dans sa traduction volumétrique apparaît dans la *Tête* taillée en 1914 par Joseph Csáky; formé comme tailleur de pierre, ce dernier transpose la leçon du cubisme dans cette technique. Henri Laurens et Jacques Lipchitz poursuivront de manière plus convaincante l'analyse des plans reconstitués en volumes. La *Construction* ou la *Petite tête* (1915) de Laurens, en bois et tôle peints, fait partie d'une série qui retient du langage inventé par Picasso et Braque l'intersection des plans qui ouvrent l'objet à l'espace et l'évident. Pour Laurens, « il est nécessaire que dans une sculpture les vides aient autant d'importance que les pleins ». Si les vides intérieurs sont alors plus marqués que les formes extérieures, la *Tête* de 1918-1919 manifeste le besoin de revenir à la « densité des volumes » que Laurens n'abandonnera plus. Malgré un jeu d'arêtes, souligné par la polychromie et offrant plusieurs points de vue qui restituent les ouvertures des constructions dans un seul bloc, le lourd volume de la pierre l'emporte sur le vide. Lipchitz prolonge ce travail sur la masse, abordée directement de manière synthétique selon le cubisme découvert en 1913, pour aboutir en 1915 à l'abstraction de « figures démontables ». Dans *Figure assise* (1915) et *Baigneuse* (1917), faites d'emboîtages géométriques dressés

à la verticale – que Lipchitz comparait à des « tours gothiques » –, la sculpture s'apparente à l'architecture.

Les années 1930 voient à nouveau s'affirmer le volume, dont la plénitude massive et souvent monumentale excède le découpage des formes. Opérant un compromis sophistiqué entre la figure et l'abstraction, Brancusi appuie l'alternance des volumes pleins et des creux sur la torsion des formes enveloppées de ses figures féminines, qu'il érige sur des socles superposés (*Mlle Pogany* III, 1933). Mais c'est Picasso qui confronte à peu d'intervalle ses constructions filiformes aux figures plantureuses qu'il moule au Boisgeloup dans des sculptures « en *creux* », avant de les faire tirer en bronze, comme le notera, en 1933, D.-H. Kahnweiler[1]. Le « résultat » est une *Tête de femme* ou un *Buste de femme* (1931) massifs, dont les formes ré-assemblées semblent « pousser » en direction du spectateur. Issu du collage, l'assemblage de colombins démesurés préserve chez Picasso le jeu du plein et du vide dans l'affirmation triomphante du volume. Laurens et Otto Freundlich ne paraissent pas faire autre chose que de tordre ou d'enrouler les membres puissants de leurs figures. Le *Torse* (1935) de Laurens se déforme sous la poussée d'une géométrie pesante tempérée par le vide intégré au volume, tandis que le bronze monumental d'*Ascension*, tiré d'un plâtre façonné par Freundlich en 1929, condense dans une architecture compacte un entassement de masses élémentaires qui défie les limites de la matière.

Note
1. « Picasso me raconte que pour éviter le moulage, il vient de faire au Boisgeloup des sculptures en terre en *creux*, en coulant ensuite du plâtre dans ce creux. Résultat: sculpture en plâtre en relief » (Daniel-Henry Kahnweiler, *Huit entretiens avec Picasso* [1952], Paris, L'Échoppe, 1988, np).

André Derain

Nu debout, 1907
Pierre
95 x 33 x 17 cm

Constantin Brancusi

Le Baiser, 1923-1925
Pierre calcaire brune
36,5 x 25,5 x 24 cm

Raymond Duchamp-Villon

Maggy, 1912/1948
Bronze à la cire perdue
71 x 33 x 41 cm

Joseph Csáky

Tête, 1914
Pierre
39 x 20 x 21,5 cm

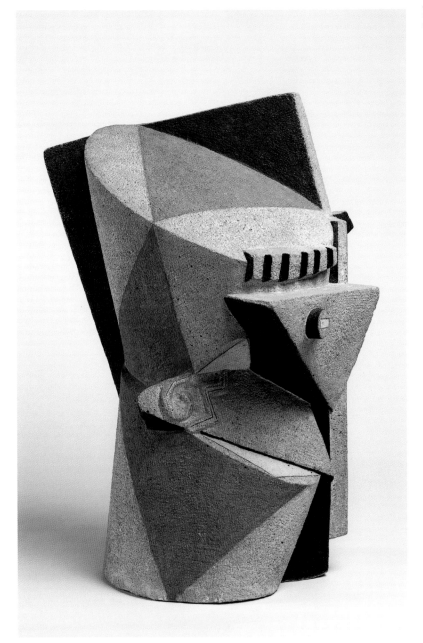

Henri Laurens

Construction, petite tête, 1915
Bois et tôle de fer polychromes
30 x 13 x 10 cm

Henri Laurens

Tête, 1918-1919
Pierre polychrome
55 x 41 x 27 cm

Jacques Lipchitz

Figure assise, 1915
Plâtre
89 x 20,4 x 16,4 cm

Jacques Lipchitz

Baigneuse, 1917
Plâtre patiné
71,5 x 25 x 24,5 cm

Constantin Brancusi

Mlle Pogany III, 1933
Bronze
44,5 x 19 x 27 cm

Pablo Picasso

Buste de femme, 1931
Bronze
62,5 x 28 x 41,5 cm

Henri Laurens

Torse, 1935
Bronze patiné sombre
66,5 x 37 x 50,5 cm

Otto Freundlich

Ascension, 1929/1969
Bronze
193 x 104 x 103,5 cm

Françoise Cohen

antiforme

« *New things, with no form, no texture but somehow filled.* » C'est ainsi que Barnett Newman décrit en 1948 les *Figures debout* de Giacometti, exposées à la galerie Pierre Matisse à New York. En cela, il semble anticiper l'un des enjeux de la sculpture de la deuxième moitié du XXe siècle : la recherche d'une forme autre, au-delà de l'organisation des volumes, d'une forme indéfinie, sans structure apparente, menacée par sa propre disparition.

Il y a loin de cette indétermination au biomorphisme, véritable métaphore de la vie, application d'un principe de croissance longuement exploré par Paul Klee dans ses cours du Bauhaus. Vers 1930, Jean Arp commence la série des *Concrétions*. Son long voyage au pays des nuages, faux cols et autres moustaches, n'exprime aucune répugnance à l'égard de la forme, mais plutôt une attention soutenue à son surgissement. Paradigme de l'acte créateur, ignorante du matériau, cette forme aux courbes aléatoires incarne une poussée vitale, en lutte avec la gravitation à laquelle l'œuvre est cependant soumise, et tend à dépasser l'antithèse de l'apparence et du squelette, de la matière et de la structure, affirmée dans l'enseignement académique.

À partir des années 1950, cette fascination pour l'œuvre d'art en tant qu'être vivant trouve à s'exprimer, plus que dans la comparaison avec la nature, dans une cybernétique où l'œuvre devient un organisme animé, susceptible de répondre à un programme ou à des stimuli extérieurs. Au début des années 1980, Richard Deacon donnera une interprétation poétique à des préoccupations similaires de réponse à l'environnement. Faites de tôle galvanisée, de linoléum, de bois récupéré, ses œuvres renvoient au

corps humain et aux organes de la perception – la main, l'oreille, l'œil – dans un vocabulaire formel proche de celui de Arp, mais où l'optimisme des avant-gardes historiques se perd dans le vide de formes creuses, hérissées de rivets et de colle, dont l'assemblage évident semble traduire la difficulté des échanges.

Tout autres sont les recherches développées aux États-Unis et en Europe à partir des années 1960-1970, pour la plupart à partir de matériaux bon marché – papier journal, plâtre –, ou industriels – feutre, caoutchouc, toile de jute, sable. Avec un stock de caoutchouc trouvé en 1966, Richard Serra entreprend de confronter la forme sculptée à l'improvisation expérimentée par Pollock dans l'Action Painting. Le plomb est le deuxième matériau à retenir son attention dans cette mise en relation directe de la forme au geste selon une liste de verbes établie en 1967-1968 : rouler, rabattre, plier, emmagasiner, courber, etc. Vers 1967, Robert Morris cherche à dépasser la confrontation de la forme géométrique au spectateur, proposée par le minimalisme, en sortant du cadre architectural de la galerie – comme dans *Steam* (1967), exhalaison de vapeur en pleine nature –, ou en présentant une sculpture « informelle » dans les *Scattered Pieces* (1968-1969) – réalisées à partir de matériaux divers disséminés au sol sans aucune organisation –, ou dans les formes molles que prend, par son propre poids, le feutre suspendu au mur.

Il revient au critique américain Lucy Lippard d'avoir mis en évidence le concept de dématérialisation de l'œuvre d'art dans un contexte d'extension du champ artistique où la photo, la vidéo, le film font entrer dans l'exposition des gestuelles d'atelier

(Serra, Nauman), voire des actions, des happenings ou de véritables chantiers pour les pièces les plus importantes du Land Art. Mais il convient aussi de souligner la persistance de formes plus particulièrement soumises à la disparition et à l'entropie, par exemple dans l'œuvre de Michel Blazy (*Sans titre,* 1994), la plus récente de cette sélection – un cercle fait de papier toilette déchiré, accompagné d'une vidéo qui en est le mode d'emploi et non pas une œuvre elle-même.

Dans ces recherches s'impose avec évidence une dimension critique tant à l'égard du matériau que de la représentation. Transférant les objets de la mythologie américaine sur un théâtre alternatif, en l'occurrence sa boutique-atelier, Oldenburg s'évade du rationalisme et du fonctionnalisme de la société qui l'entoure. Le mou fait passer les objets du rêve américain de l'assertion victorieuse à une peau souple, légèrement ridicule et à forte connotation érotique. Le même détournement de la forme prévaut dans les *Wall Hanging* (1969-1970) en feutre de Morris ou dans les *Casb* (1967) de Flanagan, les unes se démarquant de la verticalité de la colonne, les autres subvertissant par le poids la grille absolument régulière des incisions portées dans le matériau. À partir de 1980, Erik Dietman, issu du Nouveau Réalisme et de Fluxus, considère à son tour avec humour l'idée même de monument, comme dans ce *Béret de Rodin* (1984), en marbre poli, où la forme, à mi-chemin entre le couvre-chef et le cerveau, ironise sur l'origine et le siège du génie. Mais Rodin n'avait-il pas déjà proposé un objet prémonitoire du « mou » avec la robe de chambre du *Monument à Balzac* (1898) où, pour la première fois, l'indétermination l'emportait sur la surface dans la lecture du matériau ?

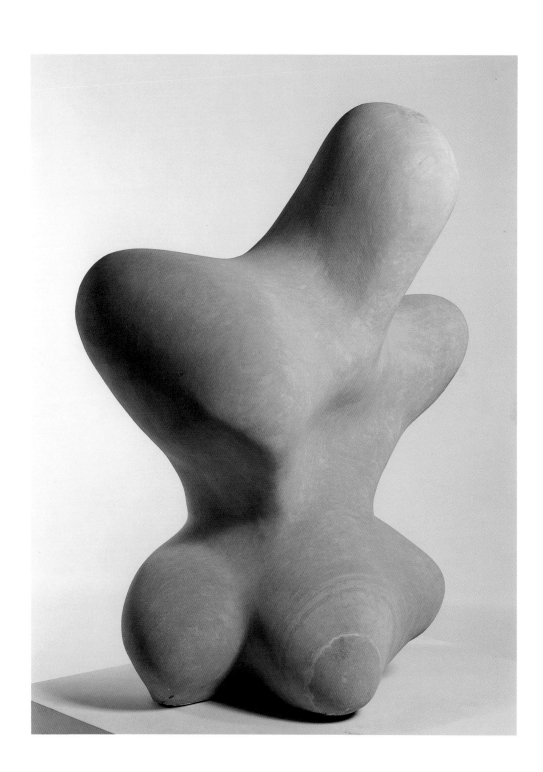

Jean Arp

Pépin géant, 1937
Pierre
162 x 125 x 77 cm

Jean Arp

**Forme lunaire
spectrale**, 1950
Plâtre patiné
79 x 60 x 63 cm

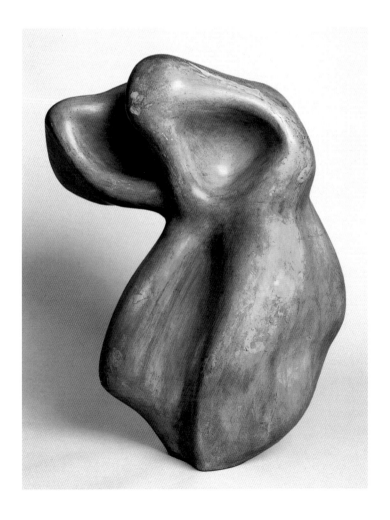

Richard Serra

Slant Step Folded, 1967
Caoutchouc,
œillets métalliques
259 x 71 x 20 cm

Barry Flanagan

Casb 1'67, 1967
Sac de toile rempli
de sable sur disque de linoléum
H.: 260 cm, diam.: 60 cm

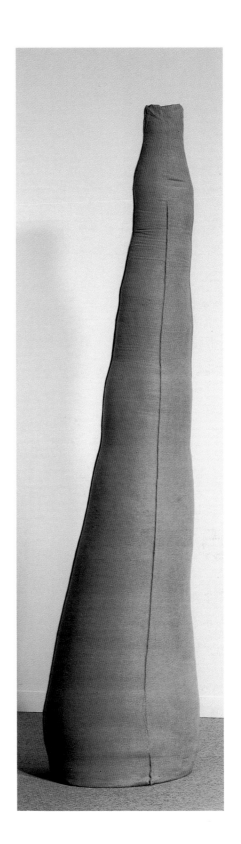

Claes Oldenburg

**Soft Version of Maquette for
a Monument donated to Chicago
by Pablo Picasso**, 1969
Toile et cordelette peintes au liquitex et
métal sur socle de bois peint
70 x 72,5 x 50 cm

Robert Morris

Wall Hanging Felt Piece, 1971-1973
Feutre découpé
254 x 283 x 49,5 cm

Erik Dietman

Le Béret de Rodin, 1984
Marbre, plaque de fonte,
tige métallique
118 x 103 x 80 cm

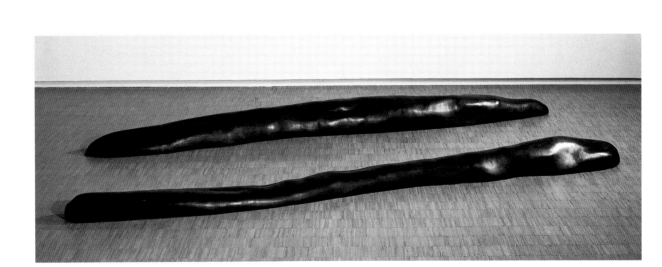

Toni Grand

**Bois flotté et stratifié,
polyester et graphite**, 1978
Bois flotté, polyester et graphite
21 x 328 x 22,5 cm

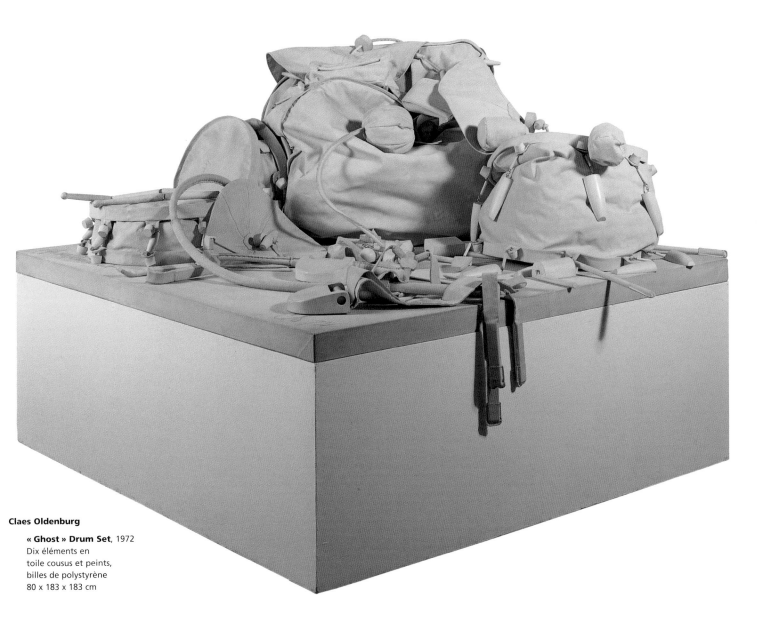

Claes Oldenburg

« Ghost » Drum Set, 1972
Dix éléments en
toile cousus et peints,
billes de polystyrène
80 x 183 x 183 cm

Richard Deacon

Breed, 1989
2 éléments : bois et Isorel stratifiés,
aluminium, époxy, pigments
138 x 285 x 150 cm et 142 x 287 x 150 cm

Michel Blazy

Sans titre, 1994
Installation : papier hygiénique
Dimensions variables

Françoise Cohen

figure

La question du monument n'a cessé de hanter l'histoire de la sculpture. Celle-ci y développe une des caractéristiques essentielles à sa fonction glorificatrice : la verticalité.
Dans *Figures, idoles, masques*, Jean-Pierre Vernant[1] souligne l'origine funéraire des statues, au sens moderne, et relie l'apparition en Attique d'une sculpture figurée vers le VIe siècle avant J-C à la nécessité de maintenir une communication dans la cité entre les vivants et les héros morts. Bien qu'il mette l'accent sur la difficulté à matérialiser les symboles du pouvoir à l'époque contemporaine, à partir de 1992, Thomas Schütte suit les voies parallèles de la « tête d'expression », en écho aux portraits antiques vus lors d'un séjour romain, et de la figure en pied.
Mais, contrairement à la longue histoire qui lie la figure à l'allégorie et à l'exemplarité, les robots en fonte d'aluminium s'imposent comme des personnages qui ne portent pas de sens. Surdimensionnés, ils semblent prêts à s'emplir d'un désir, et dégagent une impression de vacuité soulignée par l'agrandissement à partir d'un modelage qui dote la surface d'une sorte de flou.

À l'opposé, une grande partie de la sculpture moderne se bâtit sur l'idée de présence. Après le désastre de la Seconde Guerre mondiale et la prise de conscience qu'une dimension essentielle de l'humanité a été attaquée, la sculpture semble s'écarter des catégories qui lui ont servi d'indicateurs pendant l'entre-deux-guerres : la recherche formelle et la transcription de l'inconscient. Certains artistes lisent dans les événements une injonction à traiter du réel. Une nouvelle symbolique apparaît, par exemple dans le recours de Germaine Richier aux forces élémentaires (*L'Orage*, 1947-1948) ou aux animaux (*La Mante*, 1946), dont l'existentialisme présente une lecture.

Dès 1935, Giacometti fait appel au modèle et aboutit vers 1947 à une figuration centrée sur de grandes silhouettes minces, à l'issue d'une longue lutte contre l'espace qui tend à les engloutir. En rupture avec les effets de modelé soulignés par la lumière qui déconstruisent l'anatomie des bronzes de Rodin, il crée une nouvelle tradition de surface dense, construite par adjonction, réfractaire à la lumière. En plein expressionnisme abstrait, Willem De Kooning centre ses œuvres autour d'un intérêt presque exclusif pour la figure, et crée quelques bronzes.
Il aborde le modelage en superposant sur ses mains plusieurs paires de gants. Il n'y a pas là recherche d'automatisme mais volonté de surprendre, grâce à la rapidité et à la maladresse du geste, une existence dont les preuves se trouvent peut-être dans la capacité de cette dernière à résister.

Au cours des dix dernières années s'est construite une nouvelle figuration où l'homme est une fiction dont l'artiste lui-même accepte de porter les rôles. Si la figure moderne semble ne pouvoir exister qu'au moment où elle s'abstrait de son contexte, en miroir et en contradiction, c'est justement en se nourrissant d'un contexte, qu'il soit scientifique ou social, que s'affirment les nouveaux questionnements de la figure. La nudité héritée de l'histoire comme signe de cette prévalence du général disparaît au profit du personnage vêtu. Le *Mannequin* (1985) de Alain Séchas apparaît très directement comme une figuration du monde à l'envers : il porte des vêtements de travail qui appartiennent maintenant aux avatars récents de la mode. *Polyfocus* (1999) de Gilles Barbier engage une réflexion sur le clonage qui met en avant l'un des personnages emblématiques de la société contemporaine : le chirurgien comme Grand Créateur à

l'heure où l'éthique est liée au bricolage des corps. D'autres œuvres de Barbier proposent l'artiste en SDF, en ivrogne, ou en parasite mondain. Barbier confronte le spectateur à une réalité qui, vue à travers les filtres de la consommation et de la science-fiction, fragmente son identité.

Empreintes du corps de l'artiste, certaines de ces figures réalisées en cire, en résine, en glace, en terre, ou en pâte à pain entretiennent un rapport d'ambiguïté avec la vie qui les éloigne de la représentation.
Elles rappellent que l'un des mythes les plus prégnants de l'art est l'histoire de Pygmalion, où la sculpture parfaite prend vie. Abolissant la distance qu'instaurerait l'intervention de la main de l'artiste, elles convoquent une existence. *The Great Escape* (1996) de Marc Quinn, comme *Soffio 6* (1978) de Giuseppe Penone, traduit cette fascination pour la dualité de l'intérieur et de l'extérieur, du souffle et de la forme, de la chair et de la peau, et, de façon étrange, incarne des propositions où se renouvellent les débats philosophiques médiévaux sur le siège de l'âme ou le libre arbitre. Depuis les années 1970, Penone a développé une fine appréhension du point de contact entre l'individu et la nature, pérenne dans sa fragilité même. Au contraire, tels des oripeaux, tous les dispositifs complexes de Quinn – vitrine réfrigérée ou sculpture en matière organique – soulignent une disparition toujours possible de l'être.

Note
1. Jean-Pierre Vernant, *Figures, idoles, masques*, Paris, Julliard, 1990.

Alberto Giacometti

Femme debout II, 1959-1960
Bronze
275 x 32 x 58 cm

Germaine Richier

L'Orage, 1947-1948
Bronze
200 x 80 x 52 cm

Willem De Kooning

The Clamdigger, 1972
Bronze
151 x 63 x 54 cm

Giuseppe Penone

Soffio 6, 1978
Terre cuite
158 x 75 x 79 cm

John Chamberlain

The Bride, 1988
Tôle chromée et laquée
216 x 120 x 114 cm

Marc Quinn

The Great Escape, 1996
Caoutchouc, acier
375 x 500 cm

Gilles Barbier

Polyfocus, 1999
Cire, tissu, caoutchouc,
matériaux divers
Dimensions variables

Alain Séchas

Le Mannequin, 1985
Caoutchouc mousse,
tissu, plastique, plâtre
185 x 130 x 76 cm

Thomas Schütte

Sans titre, 1996
Fonte d'aluminium
250 x 100 x 150 cm

espace

Marielle Tabart

construction

L'idée que seul l'espace constitue le sujet de l'œuvre plastique, construite par recoupements de plans au détriment du volume sculptural traditionnel, s'affirme avec le constructivisme russe. S'opposant à Malevitch, Vladimir Tatline en établira les fondements en 1919 avec Rodtchenko selon un point de vue « productiviste », dont s'écarteront les frères Gabo et Pevsner. « Nos tableaux ne sont plus "peints" ni nos sculptures "modelées"; mais au contraire construits dans l'espace et à l'aide de l'espace », redira Gabo en 1932. La découverte des constructions cubistes de Picasso en 1913 est à l'origine des *Reliefs-peints* de Tatline, assemblages construits avec de nouveaux matériaux – métal, plâtre, verre –, puis des *Contre-reliefs*, qui inversent librement dans l'espace les pleins et les vides. Emblème monumental de sa « culture des matériaux » au service de la Révolution, son *Monument à la IIIᵉ Internationale* – dont la maquette a été réalisée en 1919 et reconstituée à plusieurs reprises – devait s'élever à 400 mètres de hauteur selon une structure complexe à claire-voie: deux spirales enroulées sans fin autour des quatre volumes primordiaux – cube, pyramide, cylindre, hémisphère – en verre, conçus pour pivoter à des vitesses différentes. La même transparence se retrouve chez les frères Vladimir et Gueorgii A. Stenberg – proches du productivisme de Tatline – qui poursuivent l'étude des matériaux. Leurs constructions, reconstituées d'après les dessins de Vladimir (*Appareillages spatiaux KPS11 et KPS4*, 1919/1973), sont réduites à de minces ossatures métalliques et tendues à l'extrême par un jeu savant de lignes droites et diagonales, créant de multiples combinaisons spatiales. À l'opposé, les *Architectones* de Malevitch (*Gota 2-a*, 1923-1927(?)/1989) – reconstitués d'après des maquettes datant de 1923 à 1927 – sont les développements en volume de la peinture suprématiste, fondée sur une série d'unités géométriques « minimales »: carré, cercle, rectangle, triangle

et croix. Les « objets-volumo-constructions suprématistes » ou *Architectones,* réalisés en carton puis en plâtre, ont pour élément de base le cube, l'équivalent du carré. *Gota 2-a* élève sur un plan central une série de volumes cubiques, à la blancheur lumineuse, superposés en gradins autour d'un pilier carré.

En 1958, la révélation de l'œuvre de Malevitch aura une influence décisive sur le courant minimaliste. Sol LeWitt s'approprie l'espace dans son intégralité à partir de structures simples, comme la répétition d'un cube évidé et posé au sol (*5 Part Piece (Open Cubes) in Form of a Cross*, 1966-1969). La multiplication du carré offre au regard une variété de combinaisons, tandis que le volume se transforme en espace intérieur et extérieur, évoluant ou se déployant selon le déplacement du spectateur. Mais la notion de série et le concept de variation se retrouvent aussi chez Brancusi, dont Carl Andre découvre en 1954 les socles superposés et intégrés à l'œuvre. L'emploi de la taille directe et l'assemblage réversible de volumes simples lui permettent de redéfinir la sculpture comme « structure » et « lieu ». *Blacks Creek* (1978) résulte de la répétition d'une même unité modulaire en bois brut. Posée à même le sol, la sculpture sans socle partage l'espace du spectateur. Avec *144 Tin Square* (1975) – qui s'inscrit dans la série des assemblages au sol (les *Floorpieces*) –, ce dernier peut investir l'espace horizontal créé par les carrés d'étain, posés au sol côte à côte. De dimensions identiques, ils offrent aux pas qui les parcourent de légères variations de texture et de densité. Le spectateur est également impliqué dans le réseau de relations établi par l'œuvre ouverte de Tony Cragg, *Opening Spiral* (1982), où les matériaux ordinaires de la vie quotidienne, « dépourvus de mythologie et de poésie », sont rassemblés par leur géométrie similaire dans la figure d'une spirale au déploiement calculé. Avec *Hi-Lift Jack/Zanussi* (1986) de

Bertrand Lavier, un cric américain peint en rouge simplement posé sur un frigidaire, on assiste à la mise en scène sculpturale d'objets industriels familiers qui, à l'instar des ready-made de Marcel Duchamp, changent de fonction par la décision de l'artiste. Dans un double clin d'œil à Duchamp et à Brancusi – le détournement de l'objet et la superposition des socles –, Lavier crée une construction « paradoxale ». Menant une réflexion analogue sur le langage de la sculpture, Didier Vermeiren superpose des volumes et sculpte des socles. *Sans titre* (1987) fait partie de la série des *Cages,* à la fois ouvertes et fermées, et montées sur des roulettes, seuls points de rattachement au sol. Les deux côtés dissimulés par le plâtre révèlent un dehors et un dedans qui invitent le spectateur au mouvement. Daniel Buren sollicite aussi le déplacement dans l'espace avec ses *Cabanes* (*Cabane n° 6: les damiers,* 1985) que le visiteur du lieu – la galerie ou le musée où elles sont réalisées *in situ* – peut traverser. Leurs formes découpées et projetées sur le mur, comme les découpes d'un « tableau-fenêtre », reconstruisent un volume simple. Tel un « grand dessin explosé dans l'espace », la *Cabane* s'inscrit dans l'architecture ainsi qu'une sculpture ouverte, renvoyant à la sculpture initiale, celle de la pièce environnante. Enfin, c'est la notion de clôture qui caractérise la *Proposition d'habitation* (1992) de Absalon. La combinaison de formes élémentaires, recouvertes d'un blanc éclatant – une base massive dominée par quatre blocs –, engendre une construction étrange, issue d'un monde révolu ou d'un quotidien médiocre auxquels veut nous soustraire Absalon. Ses habitacles dénués de tout fonctionnalisme, où triomphe à l'extrême le volume construit dans sa plénitude, sont cependant destinés au corps humain, pour lequel Absalon a inventé ces prototypes improbables.

Kasimir Malevitch

Gota 2-a, 1923-1927(?)/1989
Reconstitution, 1978/copie, 1989
Plâtre
57 x 26 x 36 cm

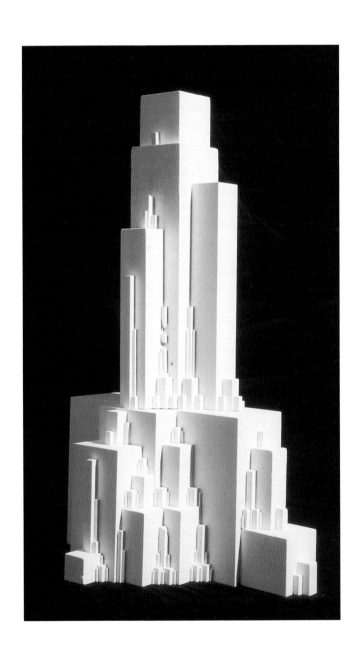

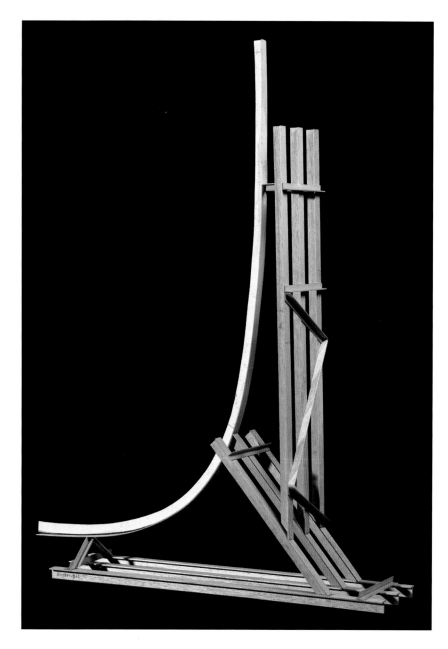

Gueorgii A. Stenberg

Appareillage spatial KPS11, 1919/1973
Reconstitution, 1973
Fer, bois, verre, acier
237 x 47 x 85 cm

Vladimir A. Stenberg

**Maquette pour
la reconstitution de KPS4**, 1973-1974
Balsa, carton
97,5 x 16 x 74,5 cm

Vladimir Tatline

**Maquette du Monument
à la IIIe Internationale**, 1919/1979
Reconstitution, 1979
Bois, métal
H.: 500 cm, diam.: 300 cm

Sol LeWitt

**5 Part Piece (Open Cubes)
in Form of a Cross**, 1966-1969
Acier peint (laque émaillée)
160 x 450 x 450 cm

Carl Andre

Blacks Creek, 1978
Bois
122 x 183 x 30,5 cm

Sculpture

Carl Andre

144 Tin Square, 1975
Étain
367 x 367 cm

Tony Cragg

Opening Spiral, 1982
Installation de 50 objets de
matériaux divers
152 x 260 x 366 cm

Didier Vermeiren

Sans titre, 1987
Plâtre, acier, roulettes
165 x 81 x 89 cm

Daniel Buren

Cabane n° 6 : les damiers, 1985
Tissu rayé de bandes alternées,
structure en bois, peinture
283 x 424,5 x 283 cm
Photo-souvenir : Ugo Ferranti, Rome

Bertrand Lavier

Hi-Lift Jack
Zanussi
1986
Cric américain, réfrigérateur Zanussi
213 x 45 x 60 cm

Absalon

Proposition d'habitation, 1992
Contreplaqué, carton, peinture acrylique
et tube fluorescent
180 x 270 x 370 cm

Marielle Tabart

signe

En 1928, « l'année sculpture » par excellence pour Picasso – ainsi que l'écrit Werner Spies[1] –, celui-ci remplit ses carnets de dessins de figures linéaires et de baigneuses plus ou moins volumineuses (*Baigneuses,* 1928), qui s'échappent du plan de la toile dans l'espace. Autant d'études pour un projet de sculpture, celui d'un *Monument à Apollinaire* commandé à Picasso à l'occasion du dixième anniversaire de la mort du poète. Aux premières formes charnues modelées en plein (*Métamorphose* I et II, 1928), Picasso préférera pour son monument – conçu comme une « statue en rien, en vide », selon la phrase du *Poète assassiné* (1916) – les constructions linéaires en fil de fer, forgées et finement soudées par son ami Julio González, auquel il fait appel.
La transparence remplace la masse, les corps en filigrane succèdent au volume.
La collaboration avec Picasso est déterminante pour González. Maîtrisant le travail du fer, qu'il tranche et forge, il imagine alors de projeter le métal dans le vide, d'en développer les plans découpés dans l'espace : « Projeter et dessiner dans l'espace à l'aide de moyens nouveaux, profiter de cet espace et construire avec lui comme s'il s'agissait d'un matériau nouvellement acquis, là est toute ma tentative[2]. » Si *Les Amoureux* II et la *Tête dite « Le Tunnel »* (vers 1932-1933) rappellent encore le traitement cubiste de la forme, l'utilisation concertée de l'espace engendre un vide encerclé par le volume extérieur, où le découpage du masque se résout en signes positif et négatif. Dans *La Chevelure* (1934), le contour de la tête se résume à un arc jaillissant – une simple barre courbée et coiffée de quelques mèches dressées en l'air – que l'on peut comparer à l'élan d'une danseuse. Contrairement aux précédentes, conçues

comme des formes creuses où le vide est intérieur, cette tête est un véritable dessin dans l'espace, dans lequel elle se projette avec hardiesse. La transformation de *Daphné* (vers 1937) – celle d'une femme en arbre – s'appuie sur le jeu contrasté des plaques verticales du métal et de l'arcature linéaire des branches ; elle renvoie à la métamorphose du mythe et transmue le corps en signe.
De façon analogue, mais dans une confrontation formelle qui témoigne d'un esprit différent – celui du surréalisme –, Giacometti transforme le couple *Homme et femme* (1928-1929) en une opposition de silhouettes réduites aux courbes, lignes et pointes tendues dans un mouvement agressif. Dans les années 1940, l'expérience de la céramique entraîne à nouveau Picasso vers le modelage et le détournement des formes obtenues : la *Femme enceinte* (1949), constituée d'une simple boule roulée dans le plâtre original et emmanchée de tiges, devient une « flèche-signal » réunissant les éléments masculin et féminin. Mais c'est Alexander Calder qui appliquera de façon systématique la leçon de Picasso et González : la fusion du signe et du dessin dans l'espace. Ses premières sculptures en fil de fer, issues d'une pratique ludique héritée de son enfance (*Le Cirque,* 1926-1930), vont se modifier avec la découverte de l'abstraction. Une visite à l'atelier de Mondrian en 1930 lui donne l'idée de faire bouger des plans colorés dans l'espace. Baptisées « Mobiles » par Duchamp en 1932, ses sculptures se développeront autour du même principe de base : un assemblage de tiges de métal et de plaques en tôle peinte suspendues en l'air ou maintenues dans un équilibre instable. Tandis que *Fishbones* (1939) inscrit contre un mur le squelette aérien d'un poisson, le « Mobile-Stabile » *Four Leaves*

and Three Petals (1939) fait varier l'équilibre des formes simples, très dessinées, issues d'un motif naturel réduit à l'allégorie.
Chez Takis, inspiré d'abord par les figures schématiques de Giacometti, les premiers *Signaux* (1955) sont, à l'instar des mobiles de Calder, de minces tiges de fer flexibles sans cesse en mouvement. Dans les années 1960, ils deviennent des antennes lumineuses (*Le Grand Signal,* 1964), longues verticales liées deux à deux à partir d'une même base, qui renforce la métaphore végétale ou transpose le réel des éléments trouvés, dans l'esprit des Nouveaux Réalistes.
Associé à ce même groupe, Jean Tinguely actionne des sculptures mécaniques, auxquelles il assigne parfois une fonction spectaculaire comme celle des machines à dessiner : *Méta-matic n° 1* (1959) est tout à la fois une structure mobile, dont le moteur fait jouer dans l'espace les fines découpes de métal, et une construction ludique, dont le spectateur devient complice. Avec *Baluba* (1962), fait de toutes sortes d'objets récupérés, Tinguely parodie la sculpture traditionnelle, où le socle, un bidon industriel, supporte un ensemble bigarré de ferrailles, mis en branle par une pédale de commande.
Les éléments agités en tous sens transforment en signes joyeux et absurdes la hasardeuse construction métallique.

Notes

1. Werner Spies, « Pablo Picasso : les chemins qui mènent à la sculpture. Les carnets de Paris et de Dinard, 1928 », *in* Marielle Tabart (dir.) *González Picasso, dialogue,* Paris, Éditions du Centre Pompidou, 1999, p. 116-117.

2. « Quelques pensées inédites de Julio González » et « Quelques notations de Julio González sur la *nouvelle* sculpture écrites vers 1930 », Archives Julio González, IVAM Centre Julio González, Valence (n°s 34 A 4 et 35 C 4).

Alberto Giacometti

Homme et femme
1928-1929
Bronze
40 x 40 x 16,5 cm

Julio González

Tête dite « Le Tunnel »
Vers 1932-1933
Bronze
46,7 x 21,8 x 30,9 cm

Julio González

Les Amoureux II
Vers 1932-1933
Bronze à la cire perdue
44,5 x 19,5 x 19 cm

Julio González

La Chevelure, 1934
Bronze forgé
29 x 22 x 17,5 cm

Julio González

Daphné, 1937
Bronze
142 x 71 x 52 cm

Pablo Picasso

Femme enceinte, 1949
Bronze
130 x 37 x 11,5 cm

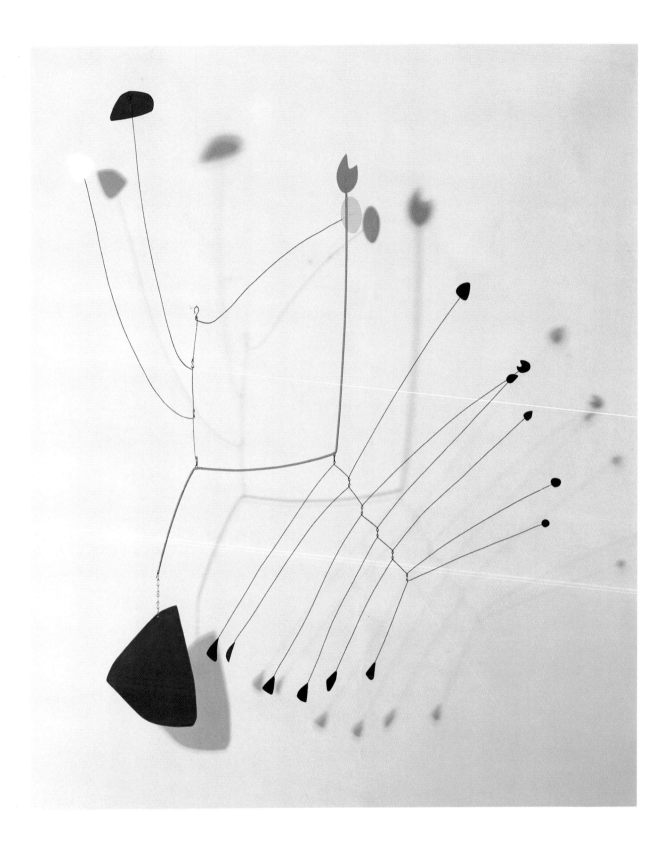

Alexander Calder

Fishbones, 1939
Tôle, tiges et
fils métalliques peints
207,2 x 192 x 137,1 cm

Alexander Calder

Four Leaves and Three Petals, 1939
Mobile-stabile : tôle, tiges et fils
métalliques peints
205 x 174 x 135 cm

Jean Tinguely

Méta-matic n°1, 1959
Métal, papier,
crayon-feutre, moteur
96 x 85 x 44 cm

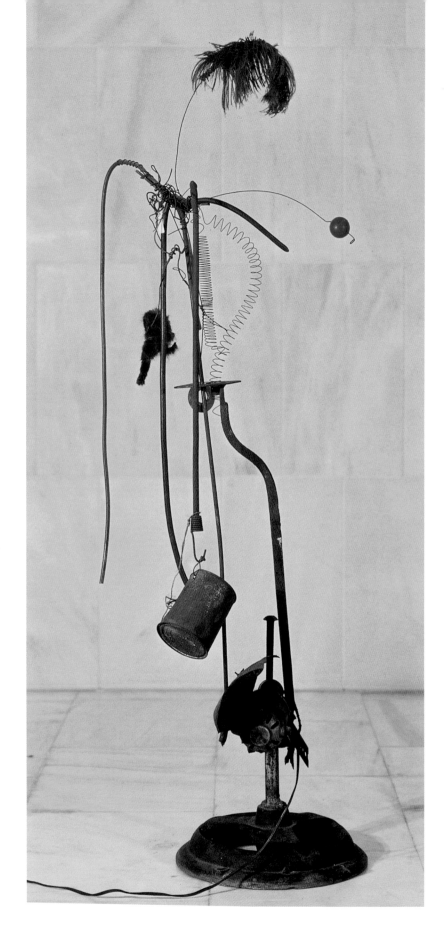

Jean Tinguely

Baluba, 1962
Métal, moteur électrique,
plumes et divers objets
H. : 150 cm

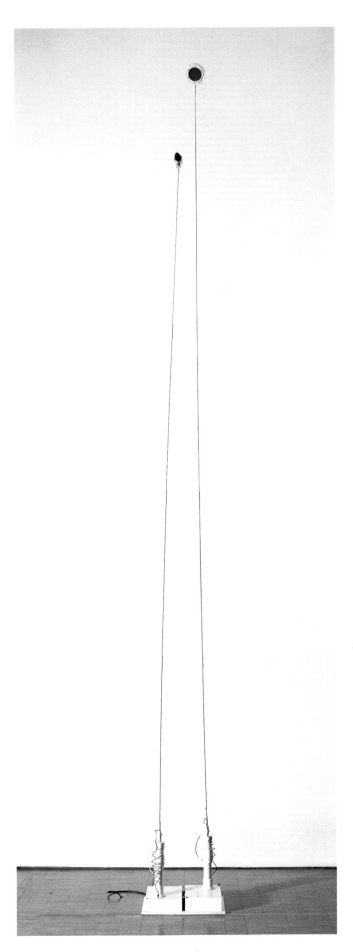

Takis

Le Grand Signal, 1964
Métal, signal lumineux
499 x 50 x 34 cm

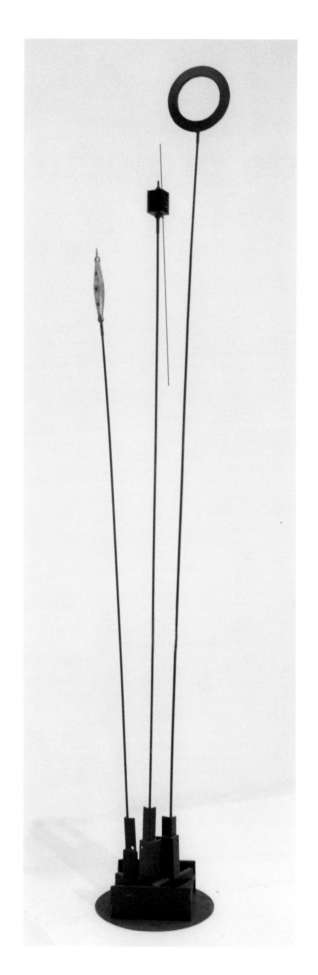

Takis

Signal, 1974
Acier, fer, bronze
H. : 306 cm

Françoise Cohen

espace de projection

Des bombardements de la Seconde Guerre mondiale à la succession des mouvements artistiques tels que les a enregistrés l'histoire, on pourrait suivre, durant le XXᵉ siècle, la fortune du concept de « table rase » et la fascination pour le recommencement après la dévastation qui lui est liée. Des cages et des plans des Giacometti de la période surréaliste aux vitrines de Beuys, des tables de Fischli/Weiss et de Orozco au guéridon de Christo, il semble possible d'appréhender dans la sculpture cette exigence d'un espace vierge, si ce n'est neutre, un espace mental distant – bien que contenu dans l'espace réel où évolue le spectateur – et neuf.

De nombreuses études ont évoqué la perte d'autonomie de l'œuvre et, à partir des années 1960, l'irruption de la forme sculptée dans l'espace perceptif du spectateur. Mais pour vraies que soient ces analyses, elles n'en infirment pas l'intérêt des artistes pour un espace spéculatif où peuvent se projeter les désirs et se transporter en tous lieux le retrait de l'atelier. Cette hypothèse est portée par la métaphore théâtrale, perceptible dans certains titres – *Le Petit Théâtre* (1959) de Arp, les *Teatrini* (1964) de Fontana –, ou dans les faits – *Le Cirque* (1926-1930) de Calder comme préhistoire à ses *Mobiles*.

Différents par nature du socle traditionnel qui est une sorte de sol surélevé, les tables et plans présents dans les œuvres rassemblées ici sont des sortes de scènes où s'exposent l'inconscient, le symbolique, l'expérimentation. Ce saut dans une autre dimension peut se marquer par une caractéristique physique : ouverture sur un espace autre revendiqué par Fontana dans les manifestes spatialistes à partir de 1947, et poursuivi dans les incisions dans la toile, comme dans une matière sculptée, la prolifération de cette dernière ouvrant le champ des possibles ; mouvements

des disques métalliques de Calder, presque semblables à des automates ; verticalité des *Tableaux-pièges* de Spoerri, dont le changement de plan garantit l'exemplarité des objets réunis au moment du collage comme constitutifs d'une situation.

De 1930 à 1933, Giacometti crée des dispositifs qui se proposent comme une mécanique du désir. Presque tous trouvent dans la cage ouverte – motif repris jusqu'en 1950 – ou dans le plan horizontal les limites entre lesquelles se définissent des mouvements aussi codés que ceux des pièces sur une table de jeu. Dans « Je ne puis parler *qu'indirectement* de mes sculptures », Giacometti écrivait : « Depuis des années je n'ai réalisé que les sculptures qui se sont offertes tout achevées à mon esprit, je me suis borné à les reproduire dans l'espace sans y rien changer. » Cette phrase, publiée dans la revue *Minotaure*[1], se rapporte au *Palais à 4 heures du matin* (1932-1933), pièce étonnante par sa structure ouverte d'échafaudage. La sculpture s'y définit comme un site où se lit avec clarté une sorte de scène primitive marquée du sceau de l'inconscient.

Dans toutes ces œuvres, l'instauration d'un système ouvert dans lequel peut se lire, à travers une multiplicité de relations, le processus créatif, l'emporte sur l'évaluation physique de l'œuvre – qu'il s'agisse de mettre en place une relation chimique symbolique (plomb/froid chez Calzolari), ou de collecter ou d'imiter des objets comme autant d'indices constitutifs du sens. La question de l'échelle a souvent été pensée comme un vecteur essentiel du sens de la sculpture. Il suffit de rappeler le propos de Tony Smith cité par Robert Morris en exergue à ses « Notes on Sculpture, Part 2 »[2] : « Je ne faisais pas un monument. [...] Je ne faisais pas un objet », ou encore de se référer à l'évolution de

Giacometti, confronté, entre 1939 et 1943, à une miniaturisation des personnages vers laquelle l'entraîne la recherche d'un rendu exact de la sensation visuelle. À partir des années 1980, le recours au modèle d'architecture, par exemple chez Dan Graham, Jeff Wall ou Thomas Schütte, sert d'expression à une pensée critique sur l'espace public et importe dans la réalité de l'exposition, à cause de l'accélération de l'espace qui résulte de sa taille, la position du regardeur du schéma perspectif où se marient savoir et distance. L'introduction de l'objet dans la sculpture à l'époque surréaliste, comme ready-made ou comme résultat des rencontres nées du hasard objectif, induisait déjà une semblable rupture. Les *Mesas de Trabajo* de Gabriel Orozco (1990-2000) réunissent des objets réels, d'autres modelés, des maquettes, des objets trouvés. Cette proposition ne recèle aucune mise en ordre particulière mais prélève une tranche temporelle au sein du travail continu de l'atelier. Dès 1981, Fischli/Weiss conçoivent souvent leurs expositions autour de vitrines où sont groupés les objets de leurs films, de tables (*Der Tisch*, 1992) ou de socles sur lesquels sont présentés des moulages d'objets divers. Ils se rapprochent en cela de la collecte de Orozco, où l'image et l'objet peuvent être perçus comme autant d'amorces de narrations ou de situations qui proposent parallèlement au grand chaos du monde l'équilibre subtil qui nous en permet la lecture.

Notes

1. Alberto Giacometti, « Je ne puis parler *qu'indirectement* de mes sculptures », *Minotaure*, nᵒ 3-4, 12 décembre 1933, p. 46 ; rééd., in *Écrits*, Paris, Hermann, 1990, p. 17.

2. Robert Morris, « Notes on Sculpture, Part 2 », *Artforum*, vol. V, nᵒ 2, octobre 1966 ; repris in Gregory Battcock (dir.), *Minimal Art: a Critical Anthology*, New York, Dutton, p. 222-228.

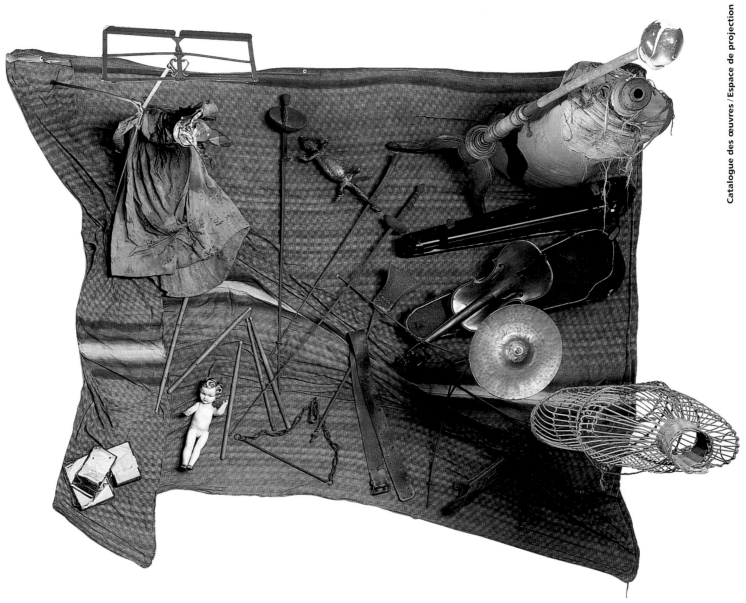

Daniel Spoerri

Marché aux puces :
Hommage à Giacometti, 1961
Aggloméré, tissu, matériaux divers
172 x 222 x 130 cm

Alexander Calder

Disque blanc, disque noir
1940-1941
Bois et disques de métal peints,
tiges d'acier, moteur
213 x 99 x 40 cm

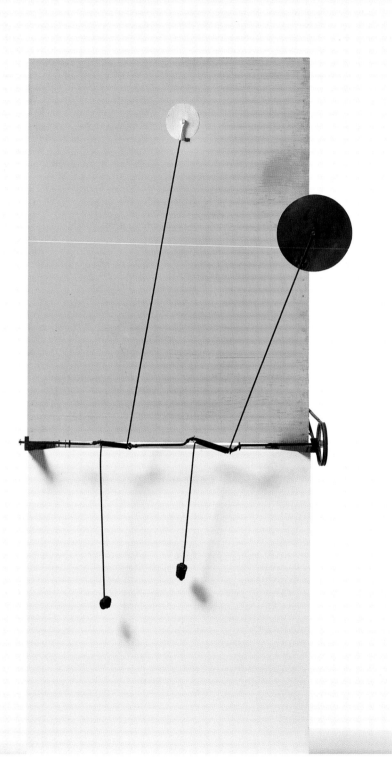

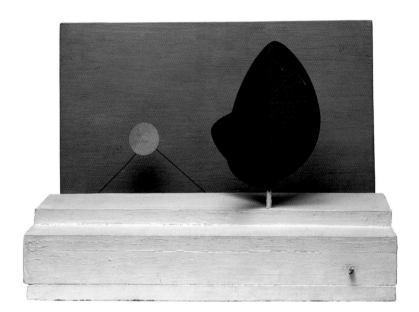

Alexander Calder

Petit panneau bleu, 1938
Bois et tôle peints,
fils d'acier, moteur
35,5 x 49,1 x 43 cm

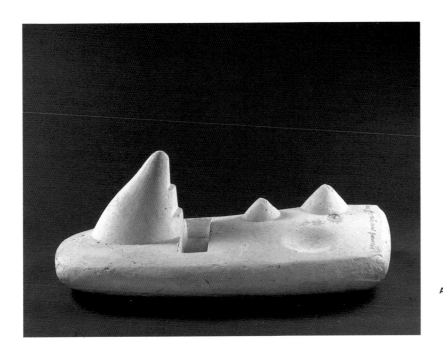

Alberto Giacometti

Paysage-tête couchée, 1932
Plâtre original
25,5 x 68 x 37,5 cm

Alberto Giacometti

**Figurine dans une boîte
entre deux maisons**, 1950
Bronze peint
29,5 x 53,5 x 9,4 cm

Lucio Fontana

**Concetto spaziale,
Scultura nera**, 1947
Bronze, patine noire
56,5 x 50,5 x 24,5 cm

Jean Arp

Le Petit Théâtre, 1959
Bronze
107,5 x 68 x 18,5 cm

Cy Twombly

Thermopylae, 1992
Bronze à la cire perdue
patiné au feu
135,5 x 75 x 70 cm

Pier Paolo Calzolari

L'aria vibra del ronzio degli insetti, 1970
3 plaques de plomb, échelle en cuivre, moteur, tube de néon
287 x 297 x 90 cm

Peter Fischli/David Weiss

Installation, 1986-1987
(7 éléments)
Elastomère de couleur noire
De gauche à droite :

Napf
[Écuelle pour chien]
1986-1987
46,5 x 57 x 37 cm

Mauer
[Mur], 1987
42 x 92 x 34 cm

Besteckbehälter
[Range-couverts], 1987
5 x 34 x 26 cm

Wurzel
[Racine], 1987
Diam. : 28 cm

Hocker
[Pouf], 1987
58 x 58 x 32 cm

Grosser Schrank
[Grande armoire], 1987
210 x 100 x 60 cm

Kerze
[Bougie], 1986-1987
H. : 15,5 cm ; diam. : 30 cm

Gabriel Orozco

Mesas de trabajo, 1990-2000
Installation: matériaux divers
Dimensions variables

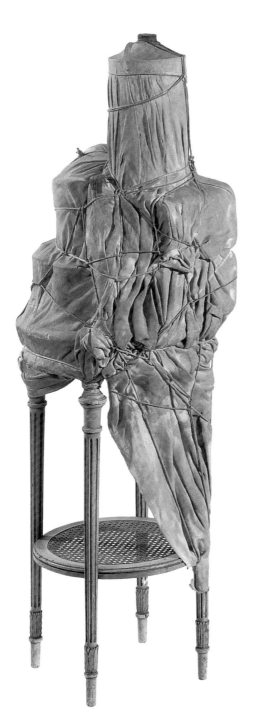

Christo

Package on a Table, 1961
Bois, objets divers, velours,
toile, ficelle
134,5 x 43,5 x 44,5 cm

Francine Stalport

notices biographiques

Absalon [Eshel Meir dit]
1964, Rehovot (Israël) – 1993, Paris

Peu disposé à parler de son passé, Absalon se considère très tôt comme un nomade. C'est en 1990 qu'ont lieu ses premières expositions personnelles : « Propositions d'habitations (échelle 1:1) » à la galerie Aika (Jérusalem) et « Cellules » à la galerie Crousel-Robelin/Bama (Paris). Absalon s'installe alors à Boulogne, allée des Pins, dans un atelier construit dans les années 1920 par Le Corbusier pour Jacques Lipchitz, où il poursuivra sa carrière d'artiste jusqu'à sa disparition prématurée. Absalon définit des espaces où l'on chercherait en vain un ordre préexistant ou des formes reconnaissables. Ses *Propositions d'habitations* évoquent inévitablement les *Architectones* de Malevitch et leur vision totalisante d'un monde futur, mais on ne trouve chez Absalon que des « propositions individuelles », qui ne comportent nulle trace d'idéalisme : son geste, dit-il, consiste à « ranger ». Ni sculptures, ni architectures, ni mobilier, ces œuvres sont des combinaisons de formes élémentaires que l'artiste a élaborées en écartant toute idée de fonctionnalité, et qu'il a recouvertes uniformément de blanc, comme pour les neutraliser définitivement. Elles nous renvoient, de fait, à quelque chose qui serait de l'ordre du résiduel, aux fragments d'une civilisation révolue, ou par projection, au devenir uniforme et archétypal de ce « décor » qui nous est offert au quotidien.

Carl Andre
1935, Quincy (Massachusetts)

Après une formation à la Philips Academy de Andover (1951-1953), Carl Andre effectue en 1954 un séjour en Europe, où il découvre la sculpture de Brancusi et le site mégalithique de Stonehenge qui auront une grande influence sur son travail sculptural. De retour à New York, il partage l'atelier de Stella et, à son contact, élabore ses premières sculptures en bois, au style empreint de rigueur et de clarté. Pour sa première exposition à New York en 1965, il investit la galerie Tibor de Nagy avec de grandes structures modulaires en matière plastique de fabrication industrielle. « Je voulais saisir et tenir l'espace de la galerie – pas simplement le remplir », expliquera-t-il plus tard, définissant ainsi la sculpture comme un lieu, un espace spécifique. Exécutées à partir de 1969, les *Floorpieces* (*144 Tin Square*, 1975), sculptures plates constituées de plaques de métal carrées de dimensions identiques et posées au sol, sont sans doute les œuvres les plus reproduites et les plus célèbres de l'artiste. Depuis ses

premières sculptures en bois, Andre – retenant la leçon de la *Colonne sans fin* de Brancusi – avait été conduit à simplifier son travail et à redéfinir la sculpture par ses procédés de construction et son contexte spatial (la sculpture comme « forme », « structure » et « lieu »). Depuis 1971, il utilise des éléments modulaires de bois brut standardisés, de format rectangulaire, pour construire des structures géométriques élémentaires empruntées à l'architecture (*Blacks Creek,* 1978).

Jean Arp
1886, Strasbourg – 1966, Locarno

Par les aléas de l'histoire et par sa double culture, Jean Arp appartient à la fois au dadaïsme zurichois et allemand et à l'avant-garde parisienne, de même qu'il est à la fois plasticien et poète. Après avoir suivi les cours de l'académie de Weimar (1904), puis ceux de l'académie Julian à Paris (1908), il est aux côtés de Tzara au cabaret Voltaire à Zurich en 1916. Il crée ses premiers reliefs en 1916-1917. Vers 1920, il se lie avec Max Ernst à Cologne ; il rencontre Kurt Schwitters à Hanovre en 1923 et publie avec El Lissitzky *Les Ismes de l'art* en 1925 à Zurich. En 1929, il se fixe à Meudon et participe désormais à l'activité artistique parisienne, où il est l'un des rares artistes à concilier l'inconciliable – l'art abstrait et le surréalisme – développant une sorte de synthèse de ces deux courants antinomiques sous la dénomination d'« art concret ». Dès 1933, il montre ses premières sculptures en ronde-bosse, sculptures en plâtre – pour certaines transposées en pierre (*Pépin géant*, 1937) –, qui se posent, contrairement aux précédents reliefs en bois qui, eux, s'accrochent. Introduite aux États-Unis par Peggy Guggenheim et Alfred Barr, l'œuvre sculptée de Arp connaît en 1954 une consécration officielle avec l'attribution du Prix international de la Biennale de Venise.

Gilles Barbier
1965, Port-Vila (Vanuatu)

Gilles Barbier est diplômé de la Faculté des lettres d'Aix-en-Provence et de l'École d'art de Luminy (Marseille). Il vit et travaille à Marseille. Il présente *Comment mieux guider notre vie au quotidien* à la galerie Georges-Philippe & Nathalie Valois en 1995, puis *La Meute des clones trans-schizophrènes* au Musée de l'abbaye Sainte-Croix, aux Sables-d'Olonne, en 1999. En 1994, il participe aux « Ateliers 94 » à l'ARC, puis, en 1995, à la Sorak International Biennal en Corée du Sud, et, en 1997, à la IVe Biennale d'art

contemporain de Lyon. Il expose également à « Lundi Jamais » au Kunsthaus de Hambourg en 1998, et à la Biennale de Venise l'année suivante. Nourri de science-fiction, le paysage artistique de Barbier s'étend à divers champs de la création : photographie, dessin, peinture, vidéo, bande dessinée, roman-photo, écriture, composition musicale, installation. Dans son travail, l'artiste apparaît en tant qu'acteur, se mettant en scène dans une critique sociale et une auto-critique ironique, farceuse, dérangeante (*Polyfocus,* 1999).

Michel Blazy
1966, Monaco

Avant de s'établir à Paris, Michel Blazy a fréquenté la Villa Arson à Nice. Ses installations sont réalisées avec les matériaux les plus humbles de l'espace quotidien : papier hygiénique (*Sans titre*, 1994), coton, lentilles, bouteilles de plastique, papier d'aluminium, farines alimentaires. L'œuvre ainsi créée représente un micro-univers, à la fois précaire et féerique, qui tient autant du jardin secret que de l'arrière-cuisine. Tel un organisme vivant, elle évolue avec le temps : constituée de bulles de savon, elle se délite ; faite de bouillie de farine, elle sèche. Les flaques de purée de légumes moisissent ; les lentilles germent ; les bouquets de spaghettis s'effondrent ; le papier hygiénique se disperse. Au cours du bref temps de son existence, tout met l'œuvre en péril, le manque de soin lui est fatal. Cette qualité paradoxale, qui naît de la matérialité même de l'œuvre, se répercute sur les formes qu'elle emprunte. À l'idée de nature correspondent des formes qui font écho aux œuvres des artistes du Land Art, mais dont l'artiste dispose avec une fantaisie et un humour iconoclastes. Placée au croisement de l'Antiform et de la bande dessinée, de l'archéologie et de la science-fiction, l'œuvre joyeuse et ludique de Blazy s'offre comme une version contemporaine du *Jardin des délices*.

Constantin Brancusi
1876, Hobitza (Roumanie) – 1957, Paris

L'œuvre de Constantin Brancusi est celle d'un créateur solitaire, qu'il est difficile de relier à un courant artistique précis. Si elle annonce l'abstraction plastique qui caractérise l'évolution de la sculpture moderne, elle s'est développée selon une démarche exceptionnellement personnelle et cohérente. Sensible aux simplifications de la sculpture africaine comme les cubistes, Brancusi est à la recherche d'une nouvelle réalité plastique. Cependant, la référence à un monde naturel et cosmique, qui sous-tend l'ensemble de son œuvre, l'éloigne des préoccupations plus intellectuelles de ces derniers. En 1894, il s'inscrit à l'École des arts et métiers de Craiova, puis, en 1898, aux Beaux-Arts de Bucarest. Arrivé à Paris en 1904, il suit l'enseignement de l'École des beaux-arts et expose au Salon d'automne dès 1906. Peu après, dès 1907-1908, il réalise ses premières « tailles directes », préférant désormais dégager ses formes du « bloc » naturel – bois, pierre ou marbre –, procédé qu'il emploiera lors de l'élaboration du *Baiser* (1923-1925). Faisant scandale par sa forme ambiguë issue d'une silhouette de femme en marbre retaillé, la *Princesse X* (1915-1916) est refusée au Salon des indépendants de 1920, tandis que *L'Oiseau d'or* (1919-1920) y occupe une place d'honneur. Brancusi assiste alors aux manifestations dada et rencontre Picabia et Tzara. En 1921, il se lie avec Cocteau, H. P. Roché, Satie et Man Ray – ce dernier l'aidera à installer une chambre noire dans son atelier. Il réalise la première version du *Grand Coq* en terre en 1923. En 1926, il installe pour la première fois *in situ* une *Colonne sans fin,* taillée dans un arbre du jardin de Steichen. Son dernier voyage sera pour les États-Unis en 1939, tandis que sa dernière œuvre, la quatrième version du *Grand Coq,* sera achevée en 1949.

Daniel Buren
1938, Boulogne-Billancourt

En employant dans ses premières toiles un tissu industriel constitué de *bandes égales* et *verticales* blanches et indifféremment colorées qu'il utilise comme fond, *surface* et *lieu* de l'inscription de la peinture comme *non-lieu,* Daniel Buren invite à prendre garde à toute biographie. Il a été élève, entre autres, à l'École des métiers d'art et la plupart de ses activités – films, son, vidéo – sont indispensables à quiconque cherche à comprendre son projet et à apprécier la rigueur de sa méthode. Ainsi, il n'est pas une installation qu'il n'ait accompagnée d'un descriptif, de notes explicatives, parfois d'un plan auquel lui-même s'est soumis : de là, le concept « in situ » repris par bon nombre après lui. À la vérité, toute l'œuvre de Buren se veut discipline et morale. Si l'artiste se situe dans une perspective pure-ment picturale, son œuvre va développer la notion de peinture jusqu'aux limites mêmes de son fonctionnement. La peinture n'ayant ici plus lieu d'être, elle ne se constitue plus, dès lors, en une utopie. Il s'agit davantage pour Buren de circonscrire un lieu sans lieu, « d'encadrer une absence », de « révéler/ critiquer/démonter/scénographier » le lieu qu'on lui propose d'investir.

Alexander Calder
1898, Philadelphie – 1976, New York

Après des études d'ingénieur (1915-1919), Alexander Calder suit des cours de peinture à l'Art Students League de New York de 1923 à 1926. Ce n'est qu'à partir de son premier séjour à Paris, en 1926-1927, qu'il commence, avec de petits objets, le travail du bois et du fil de fer. En 1930, une visite mémorable à l'atelier de Mondrian détermine Calder dans la voie de l'abstraction – il rejoindra en 1931 le groupe Abstraction-Création – avec, aussitôt, l'idée de faire bouger des plans colorés dans l'espace. Cette ambition l'amène à réaliser ses premières constructions, encore timidement articulées et oscillant légèrement, auxquelles succèdent celles que Duchamp dénomme les « Mobiles », à l'occasion de l'exposition à la galerie Vignon en 1932, et qui, elles, sont caractérisées par un mouvement franchement actionné à la main ou par un moteur. Vers 1937, parallèlement aux *Mobiles,* de plus en plus grands, apparaissent les « Stabiles » – appellation proposée par Arp –, dont les grandes tôles peintes se trouvent ancrées au sol. Les deux principes seront bientôt réunis, donnant lieu à de nombreux *Mobiles-stabiles* (*Four Leaves and Three Petals,* 1939).

Pier Paolo Calzolari
1943, Bologne

En 1967, Pier Paolo Calzolari réalise ce qu'il appelle des « actes de passion », écartant ainsi délibérément les termes inappropriés d'environnement, de happening ou de performance. L'introduction d'une dimen-sion organique, la création de tensions, la sollicitation des sens au-delà de la vue seule sont autant d'éléments qui le rapprochent aussitôt des artistes de l'Arte Povera. L'art de Calzolari vise de plus en plus explicitement le sublime, en même temps qu'il constitue une réflexion sur sa propre définition et sur celle de la peinture – qu'il pratique de nouveau à partir de 1974. L'utilisation fréquente d'écritures au néon, confrontées à des blocs de glace, n'est pas dépourvue d'implications métaphysiques (*L'aria vibra del ronzio degli insetti,* 1970). Mais cette cristallisation glaciaire, extraordinairement séduisante, que l'on retrouve tout au long de son œuvre sous des formes diverses, n'est qu'un rite parmi d'autres d'une culte voué au « passage entre l'espace physique et l'espace mental, entre l'instant et la durée, le langage et la forme ».

John Chamberlain
1927, Rochester (Indiana)

À partir de 1951, John Chamberlain suit les cours de l'Art Institute of Chicago, puis, de 1955 à 1956, ceux du Black Mountain College. Il s'installe à New York en 1956. C'est en 1957 qu'a lieu sa première exposition personnelle : son œuvre est alors perçue comme une extension sculpturale des principes de l'expressionnisme abstrait. Avec Mark Di Suvero, Chamberlain semble en effet prolonger la réflexion picturale des peintres expressionnistes abstraits tout en reprenant à son compte certains principes dont il a eu la révélation devant la sculpture de David Smith. La plupart de ses sculptures sont réalisées à partir de véhicules détruits. Inévitablement, elles apparaissent à ce titre comme le résidu de la civilisation de l'auto-mobile d'où elles sont issues et à laquelle elles servent en quelque sorte de mémorial. Mais plus que la suggestion de l'accident, chacune d'entre elles propose à la fois un déplacement poétique et une investigation physique et brutale. Depuis 1974, Chamberlain a repris son travail initial et multiplie les œuvres à caractère lyrique et baroque (*The Bride,* 1988), intervenant sur la tôle peinte, soit en la ciselant, soit en ajoutant des couleurs sous forme de bombages et de graffitis afin, selon ses propres termes, « de voir comment la peinture se fait ».

Christo
1935, Gabrovo (Bulgarie)

Christo Javacheff fait ses études à l'Académie des beaux-arts de Sofia de 1953 à 1956 puis à celle de Vienne en 1957. À partir de 1958, il vit à Paris, où il rencontre Jeanne-Claude. Dès son arrivée, il crée ses premiers *Empaquetages* et *Objets empaquetés* (*Package on a Table,* 1961), esquissant ce qui sera l'ambition de son œuvre : une réalisation à l'échelle monumentale où la démesure se confond avec l'utopie. Les premiers projets importants datent de 1961, année où Christo et Jeanne-Claude réalisent des empaquetages sur les docks du port de Cologne avant d'ériger en 1962, rue Visconti à Paris, un mur de 204 barils d'essence qu'ils appelleront *Le Rideau de fer* en signe de protestation contre l'édification du mur de Berlin l'année précédente. Le *5 600 Cubicmeter Package* (1968) à la Documenta IV de Kassel – qui joue avec l'apesanteur comme un dirigeable –, la *Wrapped Coast* (1969) en Australie, le *Valley Curtain* (1970-1972) dans le Colorado, la *Running Fence* (1972-1976) en Californie, les *Surrounded Islands* (1980-1983) dans la région de Miami – où les artistes cernent de toile rose onze îles de la baie de Biscayne – et *Le Pont-Neuf empaqueté* (1975-1985) à Paris sont autant de projets éphémères financés par Christo et Jeanne-Claude eux-mêmes, et dont les matériaux sont ensuite recyclés.

Tony Cragg
1949, Liverpool

Tony Cragg appartient à une génération de sculpteurs révélée au milieu des années 1970 qui réagit à la fois aux recherches novatrices conduites à Londres pendant les années précédentes et aux expressions internationales du minimalisme et de l'Arte Povera. Après avoir suivi une formation scientifique, il opte pour l'expérimentation artistique. Dans ses premières œuvres réalisées au Royal College of Art – où il entre en 1973–, il inventorie les procédures rudimentaires de création de la forme – empilement, agglomérat, dispersion – qu'il applique à des matériaux naturels ou artificiels récupérés. La collection d'objets, de formes, de matériaux, les gestes et les formes élémentaires, qui déterminent les *Empilements,* les *Hybrides* et les compositions d'objets, auxquels aboutissent en 1975 ses travaux d'étudiant, vont constituer les éléments fondateurs de ses recherches. Très vite, sa démarche s'oriente vers une archéologie de la vie moderne, avec des œuvres d'une grande richesse d'invention qui, toutes, puisent dans un même vocabulaire thématique: les formes simples –formes géométriques ou d'objets ordinaires–, le paysage et les formes organiques et scientifiques provoquent des phénomènes de rupture et de contraste (*Opening Spiral,* 1982). Par les jeux d'échelle, par la dislocation des éléments constitutifs de la forme, par la dissonance entre les matériaux, par l'aspect à la fois de critique sociale et de fascination pour l'objet de consommation, l'artiste introduit un rapport de l'œuvre au spectateur complexe, parfois paradoxal. Singulière, l'œuvre de Cragg est habitée par le sentiment du temps présent et la mémoire des origines, par la conquête du monde apparent et la fascination pour les structures invisibles.

Joseph Csáky
1888, Szeged (Hongrie) – 1971, Paris

Joseph Csáky effectue de brèves études de sculpture à l'École supérieure des arts décoratifs de Budapest et un apprentissage à la Manufacture de céramique de Pécs, avant son arrivée à Paris, en 1908. Il exécute ses premières œuvres à tendance cubiste en 1911 qu'il expose la même année, ainsi

qu'en 1912 et 1913, aux Salons d'automne et des indépendants. *Tête* (1914) est l'une des trois pièces ayant survécu de la période d'avant-guerre. Au lendemain de la Première Guerre mondiale, en 1919, Csáky réalise des œuvres d'un cubisme abstrait, constituées de formes coniques. Suivent, en 1920, des reliefs et des têtes en pierre d'une abstraction puriste. L'œuvre de Csáky devient progressivement plus symétrique et ornementale, révélant l'influence à la fois de l'art nègre et de l'architecture décorative. Vers 1926, Csáky adopte un style de figuration dite « lyrique » qu'il n'abandonnera pas jusqu'à sa mort, dans la misère et l'oubli, à Paris.

Richard Deacon
1949, Bangor (Pays de Galles)

Après des études à Londres à la Saint Martin's School of Art puis au Royal College of Art, Richard Deacon suit une formation d'histoire de l'art et de philosophie à la Chelsea School of Art jusqu'en 1978. Appartenant à la génération des sculpteurs anglais des années 1980, Deacon est très proche de Cragg car l'un et l'autre exploitent l'objet industriel dans leur travail. Deacon ne sculpte pas, il « fabrique » à partir de matériaux banals qu'il assemble avec de la colle, des rivets et des vis. Il accentue les traces techniques du processus (excès de rivets, coulures de colle) afin d'ironiser sur l'efficacité industrielle mais surtout pour faire l'apologie d'un travail fait à la main. Selon Deacon, « la surdétermination du processus de fabrication est une façon de renvoyer à la présence de l'homme, auteur et destinataire de la sculpture ». Primauté du langage et du discours culturel, biomorphisme, exclusion des angles au profit des courbes, de la masse au profit de la ligne qui dessine dans l'espace, rapport d'effleurement au sol sont les autres caractéristiques de l'œuvre de Deacon (*Breed,* 1989).

Willem De Kooning
1904, Rotterdam – East Hampton, 1997

Willem De Kooning suit des cours à l'Académie des arts et techniques à Rotterdam à partir de 1916 avant d'émigrer aux États-Unis en 1926. Dans le cadre du WPA (Work Progress Administration), il participe en 1935 à des décorations murales avec Léger. En 1938, il se consacre entièrement à la peinture. À la fin des années 1930, De Kooning associe des portraits d'hommes et de femmes – qui révèlent l'influence de Picasso – à des abstractions colorées, dérivées des formes anatomiques des surréalistes Gorky et Matta. Ce n'est qu'en 1969 que l'artiste

découvre la sculpture et a ainsi l'occasion d'expérimenter un nouveau matériau; il se met à l'épreuve de la terre pour en jouer littéralement, souvent les yeux fermés. De ce brassage ludique de la matière sont issues les petites pièces qui seront plus tard agrandies (*The Clamdigger,* 1972), et qui ne semblent exister que pour le plaisir de les manipuler. Avec la volonté de garder la trace de la main comme témoignage de sensations nouvelles, De Kooning, par le modelage, renoue avec la tradition de la sculpture de Rodin. Dans le contexte minimaliste des années 1970, il restaure le volume plein qui s'érige en monolithe dans l'espace, et réintroduit la nécessité du caractère tactile de l'objet sculpté.

André Derain
1880, Chatou – 1954, Chambourcy

À l'âge de 19 ans, André Derain s'inscrit à l'académie Carrière, où il se consacre à la peinture. Lié à Matisse depuis 1899, il rencontre Vlaminck la même année; ensemble, ils pratiquent une peinture brillante qui fait scandale au Salon d'automne de 1905. Mais le fauvisme n'est qu'un intermède: dès 1907, Derain, en contact avec Picasso et ses amis du Bateau-Lavoir, regarde à nouveau vers Cézanne et aborde les problèmes de la grande composition. Émule tout à la fois de Matisse (*Nu bleu: souvenir de Biskra,* 1907) et de Picasso (*Les Demoiselles d'Avignon,* 1907), il présente au Salon d'automne de 1907 des *Baigneuses* qui font sensation. Derain entre alors chez le marchand Daniel-Henry Kahnweiler. Parallèlement aux cubistes de la galerie, il poursuit une voie personnelle, qu'on a appelée, de façon trop simpliste, sa période « gothique » ou « byzantine », confondant son goût pour l'art primitif et sa passion pour l'art des musées. Documenté dès 1908 par une photographie d'un journaliste américain, Gelett Burgess, le *Nu debout* (hiver 1907) est un jalon historique essentiel dans l'évolution de l'œuvre de Derain et, plus généralement, dans la période cruciale du passage au cubisme.

Erik Dietman
1937, Jönköping (Suède) – 2002, Paris

Artiste suédois installé en France depuis 1959, Erik Dietman est étroitement lié aux recherches d'une génération qui, à la fin des années 1950, jette un regard ironique et critique sur les avatars de l'art moderne. Ses premières œuvres, en 1954-1955, se placent sous le signe du commentaire de l'artiste, porté sur une image déjà constituée qui sera griffonnée, annotée, réinterprétée.

Empruntant à la fois aux moyens du graffiti et du dessin libre, puis introduisant des mots, manuscrits ou imprimés, Dietman va avoir recours à tous les registres du langage. De 1961 à 1965, ses productions majeures sont les *Objets pensés* (ou *pansés*), appelés aussi *Sparadraps*. Dans la période suivante, de 1966 à 1976, le langage de Dietman se libère et prolifère dans les jeux de mots et les pseudonymes variés qui désignent les œuvres et l'artiste. Au début des années 1980, Dietman engage une nouvelle investigation, sur le terrain, cette fois, de la sculpture. Ce mode traditionnel va se plier, sous ses mains, aux mêmes lois que les rebuts ou les images qui composaient les assemblages. Dietman les intègre dans un processus qui reste totalement aléatoire, mêlant sentiment poétique et dérision (*Le Béret de Rodin*, 1984). En bouleversant les échelles et les hiérarchies, il soumet la plastique aux lois de l'imaginaire.

Raymond Duchamp-Villon
1876, Damville – 1918, Cannes

Raymond Duchamp-Villon est le seul d'une famille de six enfants – qui compte Jacques Villon, Suzanne Duchamp-Crotti et Marcel Duchamp – à se consacrer à la sculpture qu'il entreprend à partir de 1899, lorsqu'une grave maladie le contraint à abandonner des études de médecine. En 1902, il commence à exposer dans les salons parisiens une œuvre relativement conventionnelle. À partir de 1910, l'adoption d'une stylisation plus archaïsante le conduit à étudier des volumes pour eux-mêmes et à préférer un langage plastique plus réductif (*Maggy*, 1912/1948). En 1911, il participe avec ses frères à la fondation de la Section d'or à Puteaux. Ce groupe, auquel se joignent notamment Gleizes, Delaunay, Picabia, Léger, Archipenko et Kupka, cherchait à conférer au cubisme un caractère plus concerté et plus dynamique, fondant essentiellement ses recherches sur la couleur, la lumière et l'expression du mouvement.

Peter Fischli et David Weiss
1952 et 1946, Zurich

Peter Fischli et David Weiss suivent tous les deux une formation artistique – Académies d'art d'Urbino et de Bologne pour le premier, Écoles d'art de Zurich et de Bâle pour le second –, avant de travailler ensemble, à partir de 1979, sous une seule signature, Fischli/Weiss. Leur première exposition personnelle a lieu en 1981 à la galerie Stähli à Zurich. Dans une optique résolument dada, Fischli et Weiss recueillent des objets, réalisant des assemblages curieux et

éphémères qu'ils filment ou photographient. Dans la série des *Photo-équilibres* (1984-1985), ils élaborent des superpositions instables avec un bric-à-brac d'articles culinaires et de bricolage. Dans *Le Cours des choses* (1986-1987), ils filment les glissements en chaîne d'installations déséquilibrées. Dans les années 1990, ils réalisent un ensemble de vidéos, les *Archives panoptiques*, où ils filment leurs voyages, la banalité ou les surprises de la vie quotidienne. Il y a dans l'œuvre de Fischli et Weiss une poétique de la récupération, du kitsch, de la dérision mais aussi une réflexion postmoderniste sur les rapports qui existent entre la forme, la fonction et une esthétique de la représentation.

Barry Flanagan
1941, Prestatyn (Pays de Galles)

On placerait volontiers l'œuvre de Barry Flanagan sous le signe de la Pataphysique, tant l'admiration qu'il porte à Jarry et à sa « science des solutions imaginaires » aide à éclairer son propos. Élève à la Saint Martin's School of Art comme Gilbert & Georges, Flanagan travaille en 1960 avec Anthony Caro, puis, en 1964, avec Philip King. C'est en réaction dans le contexte de la sculpture anglaise du XXᵉ siècle que Flanagan veut se situer : Henry Moore et la « vanité du bronze », King et Caro et les velléités des ingénieurs architectes. Elle confronte à la monumentalité et à la pérennité des matériaux la fragilité du tissu, de la corde ou du plâtre. Elle reconnaît dans l'exercice amusé de la sculpture le goût polymorphe d'une démarche qui se veut plus attentive à suivre la nature du matériau qu'à le dompter. Usant de chiffons, glorifiant l'ordinaire, Flanagan édifie des sculptures qui opposent aux efforts vers le monumental de la génération précédente l'anatomie improbable de formes vacillantes qu'il dit tout à la fois « maniables », « pratiques » ou « pliables » (*Casb 1'67*, 1967).

Lucio Fontana
1899, Rosario de Santa Fé (Argentine) – 1968, Varèse (Italie)

Établi à Milan dès 1905 avec son père, Lucio Fontana suit, à partir de 1914, les cours de l'École du bâtiment Carlo Cattaneo, où il s'initie à la sculpture. Réformé lors de la Première Guerre mondiale, il ouvre en Argentine un atelier de sculpture (1922-1925). En 1928, de retour en Italie, il suit les cours du sculpteur symboliste Adolfo Wildt à Milan, et subit jusqu'en 1930 l'influence de Maillol. C'est vers 1931 que les premiers éléments abstraits apparaissent dans son

œuvre (*L'Uomo Nero*). Fontana participe au groupe des artistes italiens de la Galleria Il Milione à Milan (1934), puis adhère au mouvement Abstraction-Création à Paris (1935), où il rencontre Miró, Tzara et Brancusi. Il rédige à Buenos Aires le « Manifesto Blanco » (1946), le premier des nombreux manifestes qu'il publiera. Le *Concetto Spaziale, Scultura Nera* (1947) appartient à cette époque « matiériste et informelle ». Cette œuvre inaugure la recherche de Fontana sur l'espace-matière, qui sera l'un des thèmes essentiels de son art. La terre, coulée en bronze, s'érige en un site dégagé de tout anthropomorphisme. L'œuvre se donne comme projet, comme fragment inachevé; elle suggère d'abord une germination, une figure en gestation.

Otto Freundlich
1878, Stolp (Poméranie) –
1943, Lublin-Maïdanek (Pologne)

Formé à l'École d'art de Berlin, Otto Freundlich effectue un premier séjour en France en 1908-1909, puis se partage entre Munich, Cologne et Berlin. Il participe en 1913 au premier Salon d'automne allemand à Berlin, et se lie pour un temps avec quelques associations artistiques et sociales avant-gardistes comme la Novembergruppe, le Werkbund et le Arbeitsrat für Kunst. En 1919, il se détourne de ces « asiles des jamais inspirés » et crée en 1922 une association, Die Kommune, dont le deuxième manifeste sera signé par Raoul Hausmann. De retour en France en 1924, il se joint aux recherches de Cercle et Carré, puis à celles d'Abstraction-Création, et devient l'un des principaux représentants de l'art abstrait. En 1929 s'ouvre l'« Exposition d'art abstrait » rue Bonaparte à Paris, à laquelle Freundlich participe, tandis qu'est inaugurée l'œuvre *Ascension* (1929/1969). Cette architecture à l'équilibre précaire, constituée d'un entassement irrégulier de masses élémentaires, traduit, par son mouvement ascensionnel et laborieux, la possibilité d'un dépassement des limites spatiales imposées par la matière, en même temps qu'elle incite au passage du présent au futur. Pour Freundlich, « nous ne partons ni de la chose, ni de l'objet, ni de l'individu, mais du signe comme symbole de cette ambiance vitale ».

Alberto Giacometti
1901, Stampa (Grisons) – 1966, Coire

Alberto Giacometti s'initie aux pratiques de l'art, d'abord à Genève – il s'inscrit à l'École des beaux-arts en 1919 –, puis, de 1922 à 1927, à Paris, à l'académie de la Grande

Chaumière, sous les corrections de Bourdelle. Au début des années 1930, il s'associe à l'une des dernières phases importantes du surréalisme, celle de la revue *Le Surréalisme au service de la Révolution* (1931-1933). Ses œuvres, principalement des sculptures-objets, connaissent alors une certaine notoriété et seront ultérieurement montrées dans les expositions internationales du surréalisme après son exclusion du groupe en 1934. *Homme et femme* (1928-1929) offre pour la première fois l'image du fonctionnement même du désir. Signe « désagréable » et menaçant, la flèche peut bien apparaître comme le premier « objet à fonctionnement symbolique » de résonance surréaliste. L'ascendance du mouvement Abstraction-Création dans les années 1934-1936 est aussi à prendre en compte comme une des alternances possibles dans l'évolution plastique de Giacometti. Mais l'apport révolutionnaire de Giacometti à l'esthétique parisienne des années 1930 réside avant tout dans son retour à la figuration. Bénéficiant de la caution littéraire apportée par Jean-Paul Sartre, son œuvre s'impose internationalement dès 1948 par l'intermédiaire de la galerie Pierre Matisse à New York, puis, à partir de 1951, grâce au soutien de la galerie Aimé Maeght.

Julio González
1876, Barcelone – 1942, Arcueil

Initié par son père au travail de la ferronnerie et de l'orfèvrerie, Julio González acquiert une grande maîtrise dans le travail du métal. Il décide cependant de se consacrer à la peinture et se lie avec Picasso, dont il fait la connaissance, dès 1897, au café Els Quatre Gats à Barcelone. En 1904, il s'installe à Paris, où il rencontre Max Jacob, André Salmon et Maurice Raynal. En 1910, il se tourne vers la sculpture. La technique de la soudure autogène, qu'il apprend en 1918, se révèle indispensable pour le développement d'une œuvre qui, dès la fin des années 1920, s'affirme dans une voie plus personnelle. Mais c'est surtout sa collaboration avec Picasso, entre 1928 et 1931, qui est décisive : le principe analytique de l'assemblage de lignes et de plans lui permet de conduire de façon plus audacieuse sa propre recherche. González lui-même employait les termes « dessiner dans l'espace » pour définir la nature de cet « exercice visuel » qui commandait son travail direct du métal. Son œuvre la plus accomplie, qui se situe entre 1929 et 1939, apporte les bases d'un nouveau langage plastique en rupture radicale avec la sculpture traditionnelle (*Les Amoureux* II, vers 1932-1933).

Toni Grand
1935, Gallargues-le-Montueux (Gard)

Après des études littéraires, Toni Grand fréquente pendant une année l'École des beaux-arts de Montpellier. Depuis le milieu des années 1960, il poursuit dans un relatif isolement une œuvre singulière qui échappe aux grandes catégories de la sculpture contemporaine. De 1962 à 1967, il réalise des structures en plomb, polyester et acier inoxydable qu'il nomme des *Prélèvements* ; en 1967, il expose à la Biennale de Venise ces œuvres qui « se présentent comme des parallélépipèdes définis par une structure métallique à l'intérieur de laquelle s'organisent des formes abstraites tronquées ». En 1971, Grand installe quelques structures éphémères dans l'exposition « Supports–Surfaces » au Théâtre de Nice puis entreprend un long travail sur le bois qu'il définit comme une « lecture déconstructive » de la sculpture traditionnelle, une analyse patiente et minutieuse du matériau et des transformations successives qui président à la naissance d'une forme. Viennent ensuite les bois taillés à la hache et/ou teintés de couleurs parfois vives, ou recouverts de résine synthétique, présentés au Musée savoisien de Chambéry en 1979 (*Bois flotté et stratifié, polyester et graphite*, 1978). Conçues avec une grande économie de moyens, ces œuvres participent d'une pratique savante du métissage. On ne sait plus alors quelle expérience privilégier, de la vue ou du toucher, de l'agréable ou du dérangeant, de la surface qui séduit ou de la masse qui résiste.

Henri Laurens
1885, Paris – 1954, Paris

La qualité réfléchie, complexe et réservée de la sculpture de Henri Laurens est saluée par Giacometti dans un texte paru en 1945 dans *Labyrinthe* : « Sa manière même de respirer, de toucher, de sentir, de penser devient objet, devient sculpture. » À ses débuts, Laurens est d'abord apprenti chez un décorateur, puis chez un sculpteur de pierre. De 1905 à 1911, il travaille seul, se dégage peu à peu des influences académiques, y compris celle de Rodin, et commence sans nul doute à étudier la sculpture française romane et gothique dont la leçon imprègnera durablement son œuvre. En 1911, il se lie avec Braque et entretient avec lui une profonde et décisive amitié : de ce dernier, en effet, il reçoit « la révélation » du cubisme analytique, du système de signes repris à Cézanne et prolongé alors jusque dans ses implications les plus abstraites. À partir de 1915, Laurens réalise ses premières *Constructions*

polychromes en bois ou plâtre, faites de cônes, de cylindres, de sphères juxtaposées (*Construction, petite tête*, 1915). Après la guerre, il rejoint ses amis à la galerie Simon ; mais c'est avec des matériaux différents – il traite toujours la pierre en tailles directes et la terre en bas-reliefs polychromes – qu'il développe un style linéaire et souple, de plus en plus libre, où les éléments ondulatoires rejouent les rythmes organiques de la mer ou des arbres. Pendant la Seconde Guerre mondiale, ses sculptures redeviennent compactes et massives (*L'Adieu*, 1941).

Bertrand Lavier
1949, Châtillon-sur-Seine

La première exposition de Bertrand Lavier a lieu au Centre national d'art contemporain à Paris en 1975. Suivent alors, pour cet artiste cultivé et singulier, établi à Aignay-le-Duc, de nombreuses invitations à l'étranger, dont les plus marquantes sont la Biennale de Venise (1976) et les Documenta VII et VIII de Kassel (1982 et 1987). Le Musée d'art moderne de la Ville de Paris lui consacre deux expositions personnelles en 1985 et en 2002, tandis que les galeries contemporaines du Centre Pompidou lui offrent leurs cimaises en 1991. Le champ d'investigation de Lavier se situe dans cette « zone inframince », cette « frange dangereuse » entre l'art et le non-art. Il le résout de manière exemplaire dans ses objets repeints qui sont à l'origine de sa notoriété au tout début des années 1980. *Hi-Lift Jack/Zanussi* (1986) appartient à la série d'œuvres « où il est question d'un objet sur un autre », initiée par *Brandt/Haffner* (1984). Son aspect formel, proche de la thématique de la sculpture et de son socle, résulte d'une mise en scène neutre, sans hiérarchie particulière. Sa valeur d'usage – engranger de la nourriture, conserver des biens –, qui n'est pas occultée, n'apporte pas d'informations particulières. Dans ce dispositif subtil – bien qu'en apparence plutôt brutal – Lavier met en évidence son goût pour la sculpture.

Sol LeWitt
1928, Hartford (Connecticut)

Sol LeWitt fait ses études à la Syracuse University (New York) de 1945 à 1949, puis enseigne dans différentes écoles d'art de New York et notamment à l'université. En 1951-1952, il effectue son service militaire au Japon et en Corée, ce qui le familiarise avec l'art oriental des jardins et des temples. En 1963-1964, une première série de travaux est rassemblée dans une exposition collective de l'église St-Mark de New York et révèle l'influence du Bauhaus, de De Stijl et du constructivisme. Une première rétrospective se tient à Krefeld en 1969, puis à La Haye l'année suivante. En 1967 et 1969, LeWitt publie deux manifestes sur l'art conceptuel, « Paragraphs on conceptual Art » (*Artforum*, juin 1967) et « Sentences on conceptual Art » (*Art Language*, mai 1969). Il exploite un mécanisme mental qu'il énonce ainsi: « L'œuvre d'art est la manifestation d'une idée. C'est une idée et pas un objet. » Dans *5 Part Piece (Open Cubes) in Form of a Cross* (1966-1969), l'utilisation d'un même volume – un cube – présenté en série, posé au sol, ses côtés vides, démontre que l'intérêt de l'œuvre réside, non pas dans un objet considéré isolément, mais dans le processus de transformation de la forme et de toutes les combinaisons modulaires qui peuvent en résulter. LeWitt s'approprie l'espace dans son intégralité – espace d'un mur ou d'une salle d'exposition – pour faire une « œuvre d'art totale ».

Jacques Lipchitz
1891, Druskieniki (Lituanie) – 1973, Capri

Décidé très tôt à devenir sculpteur, Chaïm Jacob Lipchitz quitte Druskieniki dès 1909 pour Paris, où il suit les cours des Beaux-Arts et ceux de l'académie Julian. Ses premières œuvres, notamment celles qu'il expose avec succès au Salon d'automne de 1913, reflètent le retour au classicisme grec qui a marqué le renouvellement de la sculpture au début du xxe siècle. À la même époque, la rencontre avec Picasso et Gris ainsi que la découverte du cubisme l'amènent peu à peu à évoluer jusqu'en 1915. Cette année marque un tournant pour Lipchitz, qui aboutit très rapidement à l'abstraction, poussant jusqu'au bout l'analyse de la forme dans les *Figures démontables*, pièces faites de plans aux découpes géométriques s'emboîtant les uns dans les autres ou dans des structures architecturées (*Figure assise*, 1915). Grâce à l'appui du docteur Barnes, rencontré en 1922, l'œuvre de Lipchitz connaît une certaine notoriété aux États-Unis: dès 1935, une rétrospective importante lui est consacrée à la Brummer Gallery à New York.

Kasimir Malevitch
1878, Kiev (Ukraine) – 1935, Leningrad

Peintre, écrivain, philosophe, Kasimir Malevitch a pu être considéré comme « l'un des plus grands esprits de notre temps » (Jean-Claude Marcadé). Formé à l'École d'art de Kiev à partir de 1895, il se fixe en 1904 à Moscou, où il commence à peindre dans une veine impressionniste. À partir de 1907, l'apport conjugué du fauvisme et du néo-primitivisme transparaît dans ses œuvres, où se lit l'influence de Larionov et de Gontcharova qui le convient aux expositions futuristes du Valet de carreau (1910). Sa première exposition personnelle à Moscou, pendant l'hiver 1919-1920, rassemble 153 œuvres. Se consacrant alors essentiellement à l'enseignement, Malevitch travaille avec ses disciples à l'étude de formes dans l'espace, à des projets d'architecture et d'urbanisme, appelés *Planites* – présentés en 1924 à la Biennale de Venise – qui précèdent les *Architectones* (*Gota 2-a*, 1923-1927(?)/1989). Parallèlement, il poursuit son travail de réflexion théorique et publie la même année *Le Miroir suprématiste*, puis *Le Monde sans objet* qui paraîtra aux éditions du Bauhaus en 1927. Cette année-là, à l'occasion d'une exposition rétrospective à Berlin, il abandonne sur place une trentaine de tableaux et de dessins. Cet ensemble unique, acquis en 1957 par le Stedelijk Museum d'Amsterdam, a permis l'étude de son œuvre, occultée dès 1935 en URSS; sa révélation en Europe, en 1958, a eu une résonance déterminante sur une avant-garde menée alors par Yves Klein, et, plus tard, sur tout le courant minimaliste.

Robert Morris
1931, Kansas City

Élève aux Beaux-Arts de Kansas City (1948-1949) puis de San Francisco (1950), Robert Morris pratique d'abord la peinture dans un style proche de celui de Pollock. À la fin des années 1950, son goût pour la musique et la danse le conduit à New York, où il fréquente des musiciens comme John Cage et La Monte Young, avant de rencontrer Jasper Johns et Frank Stella. C'est dans ce contexte qu'il développe l'idée d'un art « sans qualités ». Ni peintures, ni sculptures, ses *Formes neutres* [« Blank Form »] reposent sur un principe très proche de celui des *Objets spécifiques* d'un Donald Judd. Dans le même temps, l'intérêt de Morris pour Marcel Duchamp lui suggère des objets post-dadaïstes qui jouent avec humour des contradictions entre l'intelligible et le visible. À partir du milieu des années 1960, l'univers de Morris est en place: il inclut à la fois la peinture ou le dessin, la sculpture, la danse, le théâtre, la performance – parfois à vocation politique –, le Land Art ou les constructions à grande échelle, la pratique de l'empreinte ou du moulage, le film et la vidéo. *Wall Hanging Felt Piece* (1971-1973) appartient à la série des sculptures en feutre que Morris réalise à partir de l'été 1967.

Claes Oldenburg
1929, Stockholm

Claes Oldenburg est issu une famille suédoise qui s'établit un an après sa naissance aux États-Unis. Après une formation à l'Art Institute de Chicago (1952-1954), il s'installe à New York en 1956. Dans les années 1960, il s'intéresse aux objets trouvés et aux assemblages. Ses œuvres se définissent alors autour du thème de la rue (*The Street*) et sont présentées sous la forme d'un ensemble à la Reuben Gallery en 1960. En 1960-1962, c'est la couleur qui prime dans les œuvres de l'environnement *The Store*, son « atelier-magasin » ouvert au public en 1962. Dans *The Home* (1963-1966), l'accent sera mis sur le volume, pour porter ensuite, à partir de 1965, sur l'échelle dans les *Colossal Monuments and Giant Objects*, projets pour des monuments imaginaires (*Soft Version of Maquette for a Monument donated to the City of Chicago by Pablo Picasso*, 1968). Occupant au sein du Pop Art américain une place originale, Oldenburg propose dès 1962 sa propre version de cet art de l'objet, en choisissant d'imiter des objets banals, quotidiens, immédiatement reconnaissables. De fait, s'il est très attentif à la culture populaire et aux réalisations de la publicité, Oldenburg ne « glorifie » pas l'objet, il ne le sacralise pas; il préfère utiliser l'humour pour le montrer avec une certaine distance critique. En 1969, le Museum of Modern Art de New York, qui organise une rétrospective de ses travaux (1954-1969), montre des œuvres molles inédites.

Gabriel Orozco
1962, Veracruz (Mexique)

Fils du peintre muraliste Mario Orozco Rivera, Gabriel Orozco travaille quelques années avec son père avant de suivre des études à l'École nationale des arts plastiques de Mexico (1981-1984), puis à l'Institut El Circulo de Bellas Artes de Madrid (1986-1987). Il vit actuellement entre New York, Paris et Mexico où a lieu sa première exposition en 1986. Mais ce n'est qu'en 1993, avec sa participation à la section Aperto de la Biennale de Venise et ses expositions personnelles au Museum of Modern Art de New York, puis à la Fondation Kanaal de Courtrai et à la galerie Crousel-Robelin à Paris, que Orozco se fait véritablement connaître. Son travail, éloge de l'absence, de l'imperceptible et de l'éphémère qu'il capte essentiellement dans des installations (*Mesas de trabajo*, 1990-2000), des photographies et des dessins, oblige le spectateur à regarder la réalité – à peine détournée par l'intervention de l'artiste – d'une autre manière. En 1998, le Musée d'art moderne de la Ville de Paris organise une importante exposition de son œuvre.

Giuseppe Penone
1947, Garessio Ponte (Ligurie)

Giuseppe Penone étudie à l'Académie des beaux-arts de Turin avant de participer aux activités du mouvement de l'Arte Povera dès la fin des années 1960. Son œuvre, qui relève essentiellement de la sculpture et du dessin, est, depuis ses débuts, intimement liée et conçue dans et avec la nature, témoignant d'une attention extrême aux énergies puisées dans cette dernière – croissance, équilibre, érosion, souffle (*Soffio 6*, 1978). Les réalisations dont le corps de Penone devient partie intégrante prennent une autre signification : l'artiste cherche le monde et sa complétude dans la dialectique des contraires, dans la rencontre du positif et du négatif, du visible et du caché, du vide et du plein. Sa première exposition a lieu en 1968 à Turin. Par la suite, Penone participe à la Documenta de Kassel en 1972, 1982 et 1987 ainsi qu'à la Biennale de Venise en 1978, 1980 et 1986. Il expose également au Musée d'art moderne de la Ville de Paris en 1984 et à Carré d'Art-Musée d'art contemporain de Nîmes en 1997.

Pablo Picasso
1881, Malaga – 1973, Mougins

Après des études aux Beaux-Arts de Barcelone où il entre en 1908, Pablo Ruiz Picasso découvre l'Art Nouveau au cabaret Els Quatre Gats, lieu de réunion des modernistes catalans, puis à Paris, lors d'un premier séjour en 1900. De 1901 à 1904, il peint des figures à l'allongement maniériste dont la teinte bleue donnera le nom à cette période. Le Bateau-Lavoir, où il vit à partir de 1904, est alors le foyer stimulant des amitiés avec les poètes Max Jacob, André Salmon, Apollinaire. En 1905, début de la période rose, premières sculptures. Le buste du *Fou* (1905) qui s'attache, en le modifiant, au sujet de la métamorphose, est la première sculpture grand format de l'artiste. C'est lors de cette même année que Picasso découvre la sculpture ibérique et l'art africain : il élabore ses premières sculptures en bois où apparaissent des réminiscences des bois sculptés de l'art primitif. En 1907, Picasso réalise des bronzes faisant partie de sa période dite « nègre ». À partir de 1908 commence l'aventure du cubisme, partagée avec Braque : la *Tête de femme (Fernande)* (1906), sa seule sculpture cubiste, va influencer Juan Gris, Henri Laurens, Archipenko, Lipchitz et les futuristes. En 1928, Picasso reprend contact avec Julio González, son ami de Barcelone, qui l'initie à la technique de la soudure autogène, et réalise avec lui des sculptures

en fil de fer (série des *Figures*) et en métal forgé (*La Femme au jardin*, 1929). L'achat du château du Boisgeloup en 1930 va permettre à Picasso de modeler à l'échelle monumentale le visage aux courbes pleines de Marie-Thérèse Walter, dont les formes voluptueuses et massives vont inspirer sa production. Un séjour à Antibes en 1946 lui permet d'entamer une intense activité de céramiste aux ateliers de Vallauris. Parallèlement, son travail sur la sculpture s'intensifie : il commence à accumuler des matériaux tout faits et des objets de rebut pour les réemployer (*Femme enceinte*, 1949, longue tige de fer coulée en bronze). Les années 1950 voient le développement des « sculptures-assemblages » (*La Chèvre*, 1950, *Petite fille sautant à la corde*, 1950, *La Guenon et son petit*, 1951). En 1954, il utilise des « tôles pliées » pour les portraits de Sylvette et Jacqueline Roque. À partir de 1962, Picasso réalise une série de *Têtes de femmes* en tôle peinte. En 1965, Carl Nesjar effectue plusieurs agrandissements en béton de ses sculptures : *Oiseau* pour le Vondelpark d'Amsterdam, *Personnage* pour le lycée Sud à Marseille, *Tête de femme* au Vanersee en Suède, *Déjeuner sur l'herbe* au Moderna Museet de Stockholm, et enfin, d'après une *Tête de femme* de 1962, une sculpture de 20 mètres de haut pour le nouveau Civic Center de Chicago.

Marc Quinn
1964, Londres

Après avoir fréquenté l'Université de Cambridge, Marc Quinn s'établit à Londres pour débuter sa carrière d'artiste. Sa reconnaissance date de 1991, lorsqu'il expose chez Jay Jopling/Grob Gallery *Self*, une méditation sur la mort figurée par le moulage de sa tête, réalisée avec son propre sang congelé. En 1992, il est sélectionné pour la Biennale de Sydney ; en 1996, il participe à « Thinking Print » au Museum of Modern Art de New York, puis, en 1997, à « Sensation » à la Royal Academy of Arts de Londres. Plus récemment, il présente son travail à la Tate Gallery de Londres (1995) et au Kunstverein de Hanovre (1999). L'œuvre de Quinn interroge le corps, sa transformation au cours du temps, son incarnation. L'artiste questionne la peau, frontière entre intérieur et extérieur de soi. En 1994, il travaille à partir d'une grenouille dont le cœur s'arrête pour renaître au printemps dans des conditions climatiques très froides. *The Great Escape* (1996) poursuit cette interrogation sur le temps.

Germaine Richier
1904, Grans (Bouches-du-Rhône) –
1959, Montpellier

La carrière de Germaine Richier s'étend sur une période assez courte (1945-1959), pendant laquelle l'artiste s'impose comme l'un des sculpteurs français les plus significatifs de l'après-guerre. Formée à l'École des beaux-arts de Montpellier (1920-1926), puis élève particulière de Bourdelle à Paris de 1925 à 1929, elle se fait connaître par une première exposition parisienne à la galerie Max Kaganovitch en 1934. Très vite appréciée – elle obtient le Prix Blumenthal de sculpture en 1936 – elle pratique une figuration réaliste aux formes solides. En 1946, elle a trouvé son propre langage dans lequel le corps humain reste l'élément de référence principal, en développant ses tendances expressionnistes fantastiques latentes (*L'Orage*, 1947-1948, *L'Ouragane*, 1948). Au cours de sa dernière décennie, Richier connaît une période de création intense : menant jusqu'à son terme sa réflexion sur l'union du minéral, de l'animal et du végétal, elle réduit son langage jusqu'à l'abstraction. Dès 1950, elle intègre la couleur à sa sculpture soit par la peinture, soit, à partir de 1952, par le sertissage de morceaux de verre coloré dans du plomb.

Thomas Schütte
1954, Oldenburg

Comme toute une génération d'artistes allemands, Thomas Schütte fréquente, de 1973 à 1981, l'Académie des beaux-arts de Düsseldorf encore très marquée, dans son dynamisme et son ouverture au débat, par la personnalité de Joseph Beuys. Doté de solides outils critiques, Schütte retient des approches conceptuelle et minimaliste l'efficacité des solutions plastiques et doit à l'enseignement de Gerhard Richter l'idée d'un pluralisme stylistique au service d'une logique unique. Il en résulte une œuvre très diversifiée sur le plan formel, qui utilise un vocabulaire et des dispositifs issus de l'architecture, de la décoration ou du théâtre, dans des arrangements conçus à partir de matériaux ordinaires. Dès le début des années 1980, Schütte privilégie la construction de maquettes qui permettent d'aborder avec distance divers types de lieux et de situations – depuis la maison de l'artiste jusqu'à la place publique –, affirmant dans l'œuvre le rôle central accordé à l'homme. La figure occupe en effet une place essentielle dans son travail : dans les maquettes, elle apparaissait déjà de façon allusive, comme indicateur d'échelle. Une direction plus réaliste se dessine dès 1982 avec les *Männer im Matsch*, plates-formes miniatures où se figent de petits personnages embourbés.

Alain Séchas
1955, Colombes

Alain Séchas vit et travaille à Paris, où il se consacre au dessin et à la sculpture, pratiques artistiques en apparence très distinctes, mais réunies autour du thème de la déraison. Séchas travaille sur la « logique » du non-sens pour explorer des situations absurdes, dont le paradoxe les dispense de toute explication. *Le Mannequin* (1985) est sans aucun doute un exemple parfait de sa quête d'humour et de désordre. Dans cette posture – les pieds en l'air et la tête invisible plongée dans une bassine telle une autruche –, ce personnage semble la représentation même d'un monde sens dessus dessous. À l'inverse, dans *Le Professeur suicide* (1995), l'artiste offre la description de notre humanité dans toute sa perversion, sa violence et son insignifiance.

Richard Serra
1939, San Francisco

De 1957 à 1964, Richard Serra étudie l'art dans les universités californiennes de Berkeley et de Santa Barbara, puis à Yale, où il travaille avec Josef Albers sur le livre *Interaction of Colour* (1963). En 1964, il séjourne pendant un an à Paris, où il rencontre le musicien Philip Glass et visite la reconstitution de l'atelier de Brancusi au Musée national d'art moderne. De retour aux États-Unis, il s'installe à New York et exécute ses premières œuvres en caoutchouc et au néon qui marquent une sorte de pont entre la peinture et la sculpture. Tout son travail de sculpteur se met en place dans les années 1968-1970 avec les projections de plomb au sol (*Splash Piece, Casting,* 1968) et, peu après, les premières œuvres en équilibre, plaques de plomb assemblées comme des châteaux de cartes (*House of Cards,* 1969). D'autres sculptures de la même époque reposent sur le principe de découpe du matériau et de sa dispersion au sol. Lors d'un voyage au Japon, en 1970, Serra expose pour la première fois des sculptures en extérieur, des sortes de tours verticales construites avec de longues plaques en acier corten.

Daniel Spoerri
1930, Galati (Roumanie)

Daniel Spoerri se consacre d'abord à la danse, puis à la mise en scène de pièces d'avant-garde et à la poésie concrète et idéogrammique à Zurich et Berne, avant de se rendre à Paris à la fin de l'année 1959. C'est en recueillant pour Jean Tinguely de vieilles ferrailles rouillées qu'il a pour la première fois, en septembre 1960, l'idée de fixer sur support des « situations d'objets » organisées par le hasard. Ces dispositions d'objets, une fois redressées à la verticale, deviennent des *Tableaux-pièges* (*Marché aux puces : hommage à Giacometti,* 1961). Cette récupération de la banalité quotidienne rapproche Spoerri des Nouveaux Réalistes, avec lesquels il expose au Festival d'art d'avant-garde de Paris en novembre 1960. De 1961 à 1964, il confectionne des *Tableaux-pièges au carré* – dans lesquels outils et matériaux servant à réaliser le *Tableau-piège* sont fixés en même temps sur lui –, des *Tableaux-pièges sous licence* – dont la réalisation est confiée à des amis –, des *Collections* – ensembles d'objets baptisés œuvres d'art et montrés dans le maximum de variations possibles –, et enfin des *Environnements-pièges*. Cette volonté de désorganisation des perceptions et de transgression des sens amène bientôt Spoerri à y impliquer le toucher, l'odorat, le goût, et à faire appel à l'imagination du public. L'expérience est couronnée en 1968 avec l'ouverture d'un restaurant permanent à Düsseldorf, la *Eat-Art Gallery,* où sont également présentées des œuvres comestibles réalisées par des amis artistes.

Vladimir et Gueorgii A. Stenberg
1899 et 1900, Moscou –
1982 et 1933, Moscou

Les évolutions artistiques et les activités créatrices des deux frères Stenberg sont inséparables jusqu'à l'année 1933. D'origine suédoise, leur famille s'est installée en Russie. Entraînés vers l'activité picturale dès leur plus jeune âge par leur père, peintre traditionnel, ils entrent à l'école Stroganoff de Moscou. Les changements survenus en 1918 leur ouvrent les perspectives de l'art moderne : le renom qu'ils tirent alors de leur travail de décor urbain leur vaut – pour Vladimir, jusqu'en 1948 – la commande du décor de la place Rouge pour l'anniversaire de la révolution d'Octobre. Conçus durant l'hiver 1919-1920 et présentés au public moscovite à l'exposition constructiviste de janvier 1921, les *Appareillages spatiaux* reflètent la problématique de l'art non-objectif russe de cette époque et s'inscrivent dans la ligne des recherches « laboratoires » des années 1919-1921.

Takis [Vassilakis Panayotis dit]
1925, Athènes

Autodidacte, Takis crée ses premières œuvres en 1946. Au début des années 1950, il sculpte le plâtre ou le fer pour exécuter des figures schématiques inspirées de Giacometti mais aussi de la statuaire archaïque. En 1954, il s'installe définitivement à Paris. Les *Idoles et fleurs électroniques* restent anthropomorphes, mais elles sont déjà constituées d'objets trouvés, parfois d'éléments de radio. Minces tiges de fer flexibles, sans cesse en mouvement, les premiers *Signaux* datent de 1955. C'est vers 1958 que, fasciné par les radars, Takis inclut pour la première fois à la sculpture le champ d'attraction magnétique. Son œuvre va désormais être entièrement consacrée à des variations sur le magnétisme. De 1961 datent les premiers *Télélumières,* où intervient le mercure liquide, ainsi que les *Télésculptures,* où l'aimant retient les éléments dans l'espace. À partir des années 1960, les *Signaux* deviennent des antennes lumineuses, tandis que des instruments de pilotage récupérés sont à l'origine des *Cadrans.* Par sa perpétuelle volonté d'expérimentation, Takis ouvre, dès 1965, un nouveau champ d'application au magnétique, lorsqu'il inclut une corde à piano dans une sculpture qui produit ainsi un son.

Vladimir Tatline
1885, Kharkov (Ukraine) – 1953, Moscou

De 1902 à 1910, Vladimir Tatline suit des cours à l'École d'art de Penza et au Collège de peinture, sculpture et architecture de Moscou. En 1911, il rejoint le groupe pétersbourgeois d'avant-garde l'Union de la jeunesse et participe en mars 1912 à l'exposition de la Queue d'âne à Moscou ainsi qu'à celles du Valet de carreau et du Monde de l'art. Ses œuvres sont alors marquées par les influences conjuguées de Cézanne et du primitivisme de l'icône. Son voyage à Paris, en 1913, est décisif : une visite à l'atelier de Picasso et une probable rencontre avec Archipenko lui permettent de voir les constructions cubistes des années 1912-1913 qui sont à l'origine des premiers *Reliefs-peints* exécutés à son retour à Moscou. Deux ans plus tard, en 1915, ses *Contre-reliefs,* détachés du support, jouant librement dans l'espace, font scandale par leur nouveauté radicale aux expositions « Tramway V » et « O. 10 ». Après la Révolution – en 1917, il est élu président de l'Union des artistes moscovites – il enseigne les principes de sa « culture des matériaux » au sein des Ateliers libres de l'État et aux Vhutemas de Moscou. Il réalise en 1919 sa maquette du *Monument à la IIIᵉ Internationale,* une des sommes du constructivisme, puis se consacre au théâtre, au cinéma et aux arts décoratifs. Sa dernière œuvre importante, le *Letatlin,* un projet de machine volante, est exposée en 1932 à Moscou.

Jean Tinguely
1925, Fribourg – 1991, Berne

Après des études à l'École des arts décoratifs de Bâle, de 1941 à 1945, Jean Tinguely commence à construire des sculptures en fil de fer, proches de l'esprit surréaliste. Ayant fait la connaissance de Daniel Spoerri, alors danseur, il crée en 1953 un décor cinétique pour l'un de ses ballets. Ce travail annonce la fabrication de tableaux composés de reliefs peints dont certaines parties sont mobiles, et que Tinguely expose à Paris, en 1954, à la galerie Arnaud. Peu à peu, il introduit dans ses compositions des objets qui leur confèrent une dimension sonore – par exemple, des marteaux. Installé à Paris, Tinguely rejoint le groupe d'artistes cinétiques de la galerie Denise René et fait la connaissance de Yves Klein avec lequel il conçoit l'exposition « Vitesse pure et stabilité monochrome » à la galerie Iris Clert en 1958. C'est par le biais de Klein qu'il participe au Nouveau Réalisme, entraînant avec lui Spoerri. À partir de 1959, il se lance frénétiquement dans la conception de machines, notamment des machines à dessiner (*Méta-matic n° 1,* 1959) ou à peindre abstrait. Mais la machine qui l'a rendu mondialement célèbre reste la gigantesque construction autodestructrice, *L'Hommage à New York,* installée dans le jardin du Museum of Modern Art en mars 1960.

Cy Twombly
1928, Lexington (Virginie)

Dès l'âge de 14 ans, Cy Twombly suit des cours sur l'art moderne européen. En 1947, il s'inscrit à la Boston Museum School, avant de fréquenter, à partir de 1950, l'Art Students League à New York. Ses intérêts le portent alors vers l'expressionnisme allemand, le mouvement dada, l'art de Soutine et de Schwitters. En 1950, Twombly rencontre Rauschenberg dont il partage les préoccupations. Il passe l'été 1951 au Black Mountain College, où il fait la connaissance de Franz Kline et de Robert Motherwell qui organisera sa première exposition personnelle. En 1957, il s'établit définitivement à Rome. La sculpture, abordée une première fois dans la deuxième moitié des années 1950 et continuée depuis 1976, comporte le même caractère de singularité, établissant les ressorts poétiques des objets les plus démunis (*Thermopylae,* 1992). Un large panorama de l'œuvre de Twombly est présenté au Centre Pompidou en 1988. Dans les années 1990, deux rétrospectives lui sont consacrées, l'une au Museum of Modern Art (1994), l'autre à Houston (1995) où est inaugurée la Cy Twombly Gallery fondée par la famille de Menil, dans une architecture de Renzo Piano.

Didier Vermeiren
1951, Bruxelles

Depuis 1974, année de sa première exposition à Bruxelles à la galerie Delta, Didier Vermeiren poursuit une entreprise de déconstruction du vocabulaire sculptural. Par ses renvois aux spécificités du langage sculptural – volume, poids, gravité, verticalité, orientation, sens, vide, plein, masse, lumière, lieu –, par ses références au passé dans ses citations ostensibles d'œuvres anciennes dont il « réplique » les socles, son travail met en jeu ses propres conditions d'apparition et d'inscription dans le champ contemporain. La sculpture est ici et maintenant, à prendre ou à laisser, telle qu'elle s'offre au regard. Après avoir superposé des volumes de formats semblables mais dont la superposition, du fait de leurs masses différentes (plomb/ polyuréthanne), renvoie à des données physiques, Vermeiren commence en 1978 ses *Socles.* Le *Socle* enregistre la présence sculpturale dans son lien avec l'espace et le temps, avec l'histoire et la mémoire. C'est ensuite qu'apparaissent les *Sculptures* – socle sur socle –, puis, en 1985, les *Cages,* parallélépipèdes ouverts ou partiellement fermés, montés sur roulettes, qui indiquent le potentialité du mouvement (*Sans titre,* 1987). Ainsi que Vermeiren l'analyse lui-même : « Les roues sont là, elles indiquent un mouvement, mais le mouvement n'est pas nécessaire. »

liste
des œuvres
exposées

Avertissement au lecteur :

À l'exception des œuvres de Lavier (*Hi-Lift Jack/Zanussi*), Picasso (*Buste de femme, Femme enceinte*), Takis (*Signal*) et Tinguely (*Baluba*), les œuvres présentées dans l'exposition « Sculpture » sont issues de la collection du Centre Pompidou, Musée national d'art moderne.

Absalon
Proposition d'habitation, 1992
Contreplaqué, carton, peinture acrylique et tube fluorescent
180 x 270 x 370 cm
Achat, 1994
AM 1994-253

Carl Andre
144 Tin Square, 1975
Assemblage au sol de 144 carrés d'étain par rangées de 12
367 x 367 cm
Achat, 1987
AM 1987-1137

Blacks Creek, 1978
Bois (Douglas Fir : arbre résineux originaire des États-Unis)
5 unités : 3 unités verticales supportant 2 unités horizontales posées bout à bout
Chaque unité : 91,5 x 30,5 x 30,5 cm
L'ensemble : 122 x 183 x 30,5 cm
Achat, 1980
AM 1980-435

Jean Arp
Pépin géant, 1937
Pierre
162 x 125 x 77 cm
Achat, 1949
AM 897 S

Forme lunaire spectrale, 1950
Plâtre patiné
79 x 60 x 63 cm
Saisie de l'Administration des douanes
AM 1996-325

Le Petit Théâtre, 1959
Bronze
107,5 x 68 x 18,5 cm
Achat, 1963
AM 1434 S

Gilles Barbier
Polyfocus, 1999
Cire, tissu, caoutchouc, matériaux divers
Dimensions variables
Achat, 2000
AM 2000-30

Michel Blazy
Sans titre, 1994
Installation : papier hygiénique
Dimensions variables
Achat, 1998
AM 1998-152

Constantin Brancusi
Le Baiser, 1923-1925
Pierre calcaire brune
36,5 x 25,5 x 24 cm
Legs Constantin Brancusi, 1957
AM 4002-3

Mlle Pogany III, 1933
Bronze
44,5 x 19 x 27 cm
Legs Constantin Brancusi, 1957
AM 4002-54

Daniel Buren
Cabane n° 6 : les damiers, 1985
Tissu rayé de bandes alternées, structure en bois, peinture
283 x 424,5 x 283 cm
Achat, 1990
AM 1990-87
Photo-souvenir : Ugo Ferranti, Rome

Alexander Calder
Petit panneau bleu, 1938
Bois et tôle peints, fils d'acier, moteur
35,5 x 49,1 x 43 cm
Dation, 1983
AM 1983-55

Fishbones
[Arêtes de poisson], 1939
Tôle, tiges et fils métalliques peints
207,2 x 192 x 137,1 cm
Dation, 1983
AM 1983-57

Four Leaves and Three Petals
[Quatre feuilles et trois pétales] 1939
Mobile-stabile : tôle, tiges et fils métalliques peints
205 x 174 x 135 cm
Dation, 1983
AM 1983-56

Disque blanc, disque noir 1940-1941
Bois et disques de métal peints, tiges d'acier, moteur
213 x 99 x 40 cm
Achat, 1980
AM 1980-17

Pier Paolo Calzolari
L'aria vibra del ronzio degli insetti
[L'air vibre du bourdonnement sourd des insectes], 1970
3 plaques de plomb, échelle en cuivre, moteur, tube de néon
287 x 297 x 90 cm
Achat, 1992
AM 1992-111

John Chamberlain
The Bride [La mariée], 1988
Tôle chromée et laquée
216 x 120 x 114 cm
Achat, 1990
AM 1990-226

Christo
Package on a Table
[Empaquetage sur une table], 1961
Bois, objets divers, velours, toile, ficelle
134,5 x 43,5 x 44,5 cm
Achat, 1982
AM 1982-323

Tony Cragg
Opening Spiral
[Spirale en déploiement], 1982
Installation de 50 objets de matériaux divers
152 x 260 x 366 cm
Achat, 1988
AM 1988-1061

Joseph Csáky
Tête, 1914
Pierre
39 x 20 x 21,5 cm
Achat, 1977
AM 1977-1

Richard Deacon
Breed [Reproduction], 1989
2 éléments : bois et Isorel stratifiés, aluminium, époxy, pigments
138 x 285 x 150 cm et
142 x 287 x 150 cm
Achat, 1989
AM 1989-548

Willem De Kooning
The Clamdigger
[Le pêcheur de palourdes], 1972
Bronze
151 x 63 x 54 cm
Achat, 1979
AM 1978-735

André Derain
Nu debout, 1907
Pierre
95 x 33 x 17 cm
Dation, 1994
AM 1994-76

Erik Dietman
Le Béret de Rodin, 1984
Marbre, plaque de fonte, tige métallique
118 x 103 x 80 cm
Achat, 1989
AM 1989-2

Raymond Duchamp-Villon
Maggy, 1912/1948
Bronze à la cire perdue, 1948, d'après l'original en plâtre de 1912
71 x 33 x 41 cm
Achat, 1948
AM 866 S

Peter Fischli/David Weiss
Installation
1986-1987
(7 éléments)
Élastomère de couleur noire

Kerze [Bougie], 1986-1987
H. : 15,5 cm ; diam. : 30 cm
Don des artistes, 2001
AM 2001-8

Napf [Écuelle pour chien]
1986-1987
46,5 x 57 x 37 cm
Achat aux artistes, 2001
AM 2001-9

Besteckbehälter
[Range-couverts], 1987
5 x 34 x 26 cm
Achat aux artistes, 2001
AM 2001-14

Grosser Schrank
[Grande armoire], 1987
210 x 100 x 60 cm
Achat aux artistes, 2001
AM 2001-10

Hocker [Pouf], 1987
58 x 58 x 32 cm
Achat aux artistes, 2001
AM 2001-11

Mauer [Mur], 1987
42 x 92 x 34 cm
Achat aux artistes, 2001
AM 2001-13

Wurzel [Racine], 1987
Diam. : 28 cm
Achat aux artistes, 2001
AM 2001-12

Barry Flanagan
Casb 1'67, 1967
Sac de toile rempli de sable sur disque de linoléum
H. : 260 cm, diam. : 60 cm
Achat, 1980
AM 1980-526

Lucio Fontana
Concetto spaziale, Scultura nera
[Concept spatial, sculpture noire]
1947
Bronze, patine noire
56,5 x 50,5 x 24,5 cm
Don de Teresita Fontana, 1979
AM 1979-31

Otto Freundlich
Ascension, 1929/1969
Bronze, 1969, d'après l'original
en plâtre de 1929
193 x 104 x 103,5 cm
Achat, 1982
AM 1982-124

Alberto Giacometti
Homme et femme, 1928-1929
Bronze
Exemplaire unique
40 x 40 x 16,5 cm
Dation, 1984
AM 1984-355

Paysage-tête couchée, 1932
Plâtre original
25,5 x 68 x 37,5 cm
Dation, 1987
AM 1987-1154

Figurine dans une boîte
entre deux maisons, 1950
Bronze peint
29,5 x 53,5 x 9,4 cm
Dation, 1982
AM 1982-100

Femme debout II, 1959-1960
Bronze
275 x 32 x 58 cm
Achat, 1964
AM 1707 S

Julio González
Les Amoureux II, vers 1932-1933
Bronze à la cire perdue
44,5 x 19,5 x 19 cm
Don de Roberta González, 1964
AM 1398 S

Tête dite « Le Tunnel »
Vers 1932-1933
Bronze
46,7 x 21,8 x 30,9 cm
Don de Roberta González, 1964
AM 1399 S

La Chevelure, 1934
Bronze forgé
29 x 22 x 17,5 cm
Dation, 2000
AM 2000-156

Daphné, 1937
Bronze
142 x 71 x 52 cm
Don de Roberta González, 1966
AM 1491 S

Toni Grand
Bois flotté et stratifié,
polyester et graphite, 1978
Bois flotté, polyester et
graphite
21 x 328 x 22,5 cm
Achat, 1983
AM 1983-370

Henri Laurens
Construction, petite tête, 1915
Bois et tôle de fer polychromes
30 x 13 x 10 cm
Donation Claude Laurens, 1967
AM 1537 S

Tête, 1918-1919
Pierre polychrome
55 x 41 x 27 cm
Dation, 1997
AM 1997-236

Torse, 1935
Bronze patiné sombre
66,5 x 37 x 50,5 cm
Donation Claude Laurens, 1967
AM 1582 S

Bertrand Lavier
Hi-Lift Jack
Zanussi
1986
Cric américain, réfrigérateur
Zanussi
213 x 45 x 60 cm
Carré d'Art-Musée d'art
contemporain, Nîmes

Sol LeWitt
5 Part Piece (Open Cubes)
in Form of a Cross
[Pièce en 5 unités (cubes ouverts)
en forme de croix], 1966-1969
Acier peint (laque émaillée)
160 x 450 x 450 cm
Achat, 1976
AM 1977-108

Jacques Lipchitz
Figure assise, 1915
Plâtre
89 x 20,4 x 16,4 cm
Donation Fondation Jacques
et Yulla Lipchitz, 1976
AM 1976-821

Baigneuse, 1917
Plâtre patiné
71,5 x 25 x 24,5 cm
Donation Fondation Jacques
et Yulla Lipchitz, 1976
AM 1976-882

Kasimir Malevitch
Gota 2-a, 1923-1927(?)/1989
Reconstitution, 1978 / copie, 1989
Plâtre
57 x 26 x 36 cm
DOCAP 1978-879 bis

Robert Morris
Wall Hanging Felt Piece
[Pièce de feutre suspendue au mur]
1971-1973
Feutre découpé
254 x 283 x 49,5 cm
Donation Daniel Cordier, 1989
AM 1989-459

Claes Oldenburg
Soft Version of Maquette
for a Monument donated
to Chicago by Pablo Picasso
[Version molle de la maquette du
monument offerte à Chicago par
Pablo Picasso], 1969
Toile et cordelette peintes au liquitex
et métal sur socle de bois peint
70 x 72,5 x 50 cm
Achat, 1979
AM 1979-424

« Ghost » Drum Set
[Batterie « fantôme »], 1972
Dix éléments en toile cousus et
peints, billes de polystyrène
80 x 183 x 183 cm
Don de la Menil Foundation, 1975
AM 1975-64

Gabriel Orozco
Mesas de trabajo
[Tables de travail], 1990-2000
Installation : matériaux divers
Dimensions variables
Achat, 2001
AM 2001-91

Giuseppe Penone
Soffio 6 [Souffle 6], 1978
Terre cuite
158 x 75 x 79 cm
Achat, 1980
AM 1980-42

Pablo Picasso
Buste de femme, 1931
Bronze
Épreuve unique
62,5 x 28 x 41,5 cm
Musée Picasso, Paris
MP 294

Femme enceinte, 1949
Bronze
130 x 37 x 11,5 cm
Musée Picasso, Paris
MP 334

Marc Quinn
The Great Escape
[La grande évasion], 1996
Caoutchouc, acier
375 x 500 cm
Achat, 2000
AM 2000-26

Germaine Richier
L'Orage, 1947-1948
Bronze
200 x 80 x 52 cm
Achat, 1949
AM 887 S

Thomas Schütte
Sans titre, 1996
Fonte d'aluminium
250 x 100 x 150 cm
Achat, 1997
AM 1997-51

Alain Séchas
Le Mannequin, 1985
Caoutchouc mousse, tissu,
plastique, plâtre
185 x 130 x 76 cm
Achat, 1985
AM 1985-145

Richard Serra
Slant Step Folded, 1967
Caoutchouc, œillets métalliques
259 x 71 x 20 cm
Achat, 1988
AM 1988-614

Daniel Spoerri
Marché aux puces :
Hommage à Giacometti, 1961
Aggloméré, tissu, matériaux divers
172 x 222 x 130 cm
Achat, 1976
AM 1976-261

Gueorgii A. Stenberg
Appareillage spatial KPS11
1919/1973
Reconstitution, 1973
Fer, bois, verre, acier
237 x 47 x 85 cm
Achat, 1975
AM 1975-200

Vladimir A. Stenberg
Maquette pour la reconstitution de
KPS4, 1973-1974
Balsa, carton
97,5 x 16 x 74,5 cm
Don de la galerie Jean Chauvelin, 1975
AM 1975-241

Takis
Le Grand Signal, 1964
Métal, signal lumineux
499 x 50 x 34 cm
Achat, 1982
AM 1982-137

Signal, 1974
Acier, fer, bronze
H. : 306 cm
Carré d'Art-Musée d'art contemporain,
Nîmes

Vladimir Tatline
Maquette du Monument à
la IIIe Internationale, 1919/1979
Reconstitution, 1979
Bois, métal
H. : 500 cm, diam. : 300 cm
Achat par commande, 1979
AM 1979-413

Jean Tinguely
Méta-matic n° 1, 1959
Métal, papier, crayon-feutre, moteur
96 x 85 x 44 cm
Achat, 1976
AM 1976-544

Baluba, 1962
Métal, moteur électrique, plumes
et divers objets
H. : 150 cm
Carré d'Art-Musée d'art contemporain,
Nîmes

Cy Twombly
Thermopylae, 1992
Bronze à la cire perdue patiné au feu
135,5 x 75 x 70 cm
Achat, 1993
AM 1993-118

Didier Vermeiren
Sans titre, 1987
Plâtre, acier, roulettes
165 x 81 x 89 cm
Don de la Société des amis du
Musée national d'art moderne, 1992
AM 1992-375

Crédits photographiques

Les photographies d'œuvres
ou d'archives reproduites dans ce catalogue
proviennent du Centre Georges Pompidou /
Agence photographique RMN
(Christian Bahier, Jacques Faujour, Béatrice Hatala,
Georges Meguerditchian, Philippe Migeat,
Jean-Claude Planchet, Bertrand Prévost, Adam Rzepka,
Service de documentation photographique),
ainsi que de Carré d'Art-Musée d'art contemporain de Nîmes,
à l'exception des documents suivants :
Courtesy Annely Juda Fine Art, Londres, p. 24
© Musée Rodin, Paris, photographie E. Freuler, p. 20 (h. g.)
© Musée de Grenoble, p. 45
© Musée Picasso / Agence photographique de la RMN,
p. 20 (b. dr.) ; p. 23 ; p. 43 ; p. 85
Photo © MUMOK, Museum moderner
Kunst Stiftung Ludwig Wien, Vienne, p. 20 (h. dr.)
© Photo RMN-Hervé Lewandowski, p. 20 (b. g.)
© The Museum of Modern Art, New York, p. 19 (mil.)
Droits réservés, p. 19 (b. dr.) ; p. 28 ; p. 62

Achevé d'imprimer
sur les presses de l'imprimerie
Snoeck-Ducaju & Zoon,
Gand, Belgique

Dépôt légal : mai 2003